JEU DE MOTS CROISÉS

JEUX DE MOTS

TOME
2

Frédérique Tiéfry

éditions BRAVO!

L'édition originale de cet ouvrage est parue chez Sterling Publishing Co., Inc. sous le titre *Scrabble Puzzles Volume 2*

SCRABBLE, le jeu de société distinctif, ses tuiles lettrées ainsi que tous les logos qui s'y rapportent sont des marques de commerce de Hasbro aux États-Unis et au Canada et sont utilisées avec sa permission.
© Hasbro. Tous droits réservés.
Utilisé sous licence avec l'autorisation de
Sterling Publishing Co., Inc.
387 Park Ave. S., New York, NY 10016

Publié par les Éditions BRAVO !, une division de
LES PUBLICATIONS MODUS VIVENDI INC.
55, rue Jean-Talon Ouest, 2ᵉ étage
Montréal (Québec) H2R 2W8
Canada

www.editionsbravo.com

Directeur éditorial : Marc Alain
Conception des jeux : Frédérique Tiéfry

Dépôt légal — Bibliothèque et Archives nationales du Québec, 2010
Dépôt légal — Bibliothèque et Archives Canada, 2010

ISBN 978-2-92372-083-8

Imprimé au Canada

Table des matières

Introduction

Mordus de Scrabble, voici un recueil qui vous permettra d'améliorer votre score tout en vous amusant. Après avoir réussi les dizaines de jeux qu'il contient, vous serez certainement de meilleurs joueurs.

Marche à suivre

Chaque grille illustre une partie en cours. Trois chevalets accompagnent chaque grille. Chaque chevalet est indépendant : lorsque vous faites un mot avec le premier chevalet, ne l'inscrivez pas dans la grille; passez au chevalet suivant en considérant la partie telle qu'elle vous était proposée au départ. Les lettres blanches sont indiquées par une police de caractères différente dans les grilles. Sur les chevalets, elles sont représentées par une pièce vierge. Dans les solutions, elles sont entre parenthèses.

Pour chacun des chevalets, le but est de battre mon score, donc de trouver le mot qui sera le plus payant. Il ne s'agit pas ici de jouer de stratégie en choisissant de placer un mot pour ouvrir le jeu ou de garder certaines lettres pour le prochain tour, mais bien de toujours viser la meilleure récolte de points possible. À droite de chaque chevalet se trouvent mes points. Je tiens à dire ici que bien que je sois correctrice de métier, auteure de mots croisés, conceptrice de jeux de lettres et que je passe ma vie dans les dictionnaires, je ne prétends pas être une championne de Scrabble : soyez donc assurés que vous avez des chances de me battre. N'est-ce pas là que se trouvera de toute façon votre satisfaction ?

Les jeux ont été conçus de manière à faire appel à différentes stratégies. Il y a les extensions de mots déjà présents dans la grille, la capitalisation sur une ou plusieurs cases chères, le placement de mots parallèlement à un autre, etc. À mesure que vous progresserez, vous apprendrez à mieux « lire » la grille et à en retirer le meilleur, c'est-à-dire à trouver les emplacements les plus payants.

Pour les placements parallèles, référez-vous à la page 126, où sont recensés les 75 mots de deux lettres acceptés au Scrabble et leurs rallonges antérieures et postérieures. D'ailleurs, je vous suggère, après avoir trouvé un mot, de toujours chercher dans la grille si un placement parallèle est possible : c'est une excellente façon de gagner beaucoup de points. Et par le temps que vous finissiez ce recueil, vous aurez ainsi mémorisé bon nombre de mots de deux lettres. Cela vous donnera un avantage sur vos futurs adversaires.

Tous les mots à trouver sont assez courants, sauf peut-être les mots de deux ou trois lettres. Sachez aussi qu'ils sont tous dans les dictionnaires de langue française les plus populaires et autorisés par les règlements du Scrabble.

Les indices

Si vous voulez des indices pour vous mettre sur la bonne piste, rendez-vous à la page 120. Les indices se trouvent à la fin du recueil de manière à ce que vous puissiez vous y rendre sans voir les réponses par accident. Ils précisent s'il s'agit d'une extension de mot ou d'un mot complet, si des cases chères sont couvertes, etc. Cela vous aidera grandement à trouver mon mot.

Frédérique Tiéfry

	A	B	C	D	E	F	G	H	I	J	K	L	M	N	O
1		F₄	I₁	L₁	M₂	A₁	N₁	T₁							
2				A₁											
3				I₁											
4				D₂											
5				E₁	N₁										
6					O₁										
7					Y₁₀										
8				B₃	E₁	R₁	C₃	E₁							
9															
10															
11															
12															
13															
14															
15															

Mot compte triple   Lettre compte triple

Mot compte double   Lettre compte double

T₁ T₁ I₁ U₁ N₁ E₁ X₁₀   40

U₁ E₁ H₄ R₁ Q₈ T₁ P₃   36

K₁₀ E₁ E₁ E₁ A₁ L₁ T₁   32

7 ☆

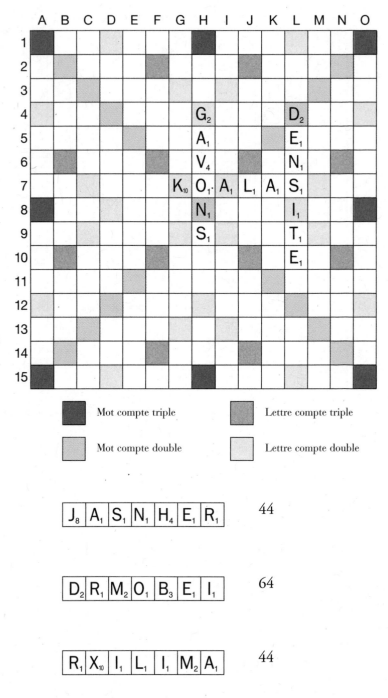

	A	B	C	D	E	F	G	H	I	J	K	L	M	N	O
4								G₂				D₂			
5								A₁				E₁			
6								V₄				N₁			
7							K₁₀	O₁	A₁	L₁	A₁	S₁			
8								N₁				I₁			
9								S₁				T₁			
10												E₁			

Mot compte triple   Lettre compte triple

Mot compte double   Lettre compte double

J₈ A₁ S₁ N₁ H₄ E₁ R₁   44

D₂ R₁ M₂ O₁ B₃ E₁ I₁   64

R₁ X₁₀ I₁ L₁ I₁ M₂ A₁   44

☆ 8

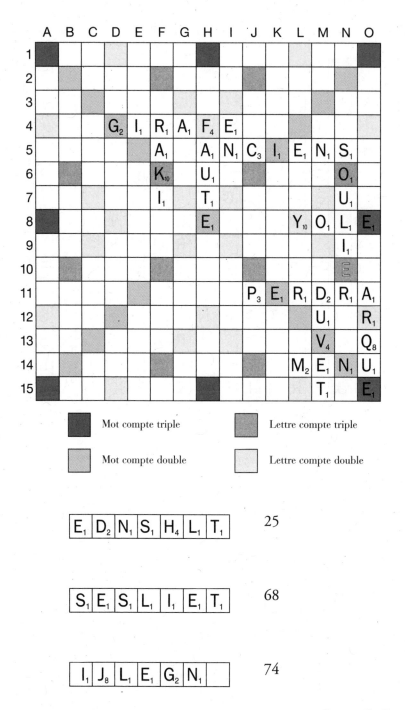

	A	B	C	D	E	F	G	H	I	J	K	L	M	N	O
1															
2															
3															
4				G₂	I₁	R₁	A₁	F₄	E₁						
5						A₁		A₁	N₁	C₃	I₁	E₁	N₁	S₁	
6					K₁₀		U₁						O₁		
7					I₁		T₁						U₁		
8						E₁				Y₁₀	O₁	L₁	E₁		
9												I₁			
10												E			
11								P₃	E₁	R₁	D₂	R₁	A₁		
12											U₁		R₁		
13											V₄		Q₈		
14											M₂	E₁	N₁	U₁	
15												T₁		E₁	

Mot compte triple   Lettre compte triple

Mot compte double   Lettre compte double

E₁ D₂ N₁ S₁ H₄ L₁ T₁   25

S₁ E₁ S₁ L₁ I₁ E₁ T₁   68

I₁ J₈ L₁ E₁ G₂ N₁   74

9 ☆

I₁ L₁ I₁ U₁ T₁ L₁ S₁   21

N₁ U₁ P₃ O₁ S₁ A₁ Q₈   28

B₃ H₄ A₁ E₁ T₁ ☐ A₁   37

☆ 12

52

36

39

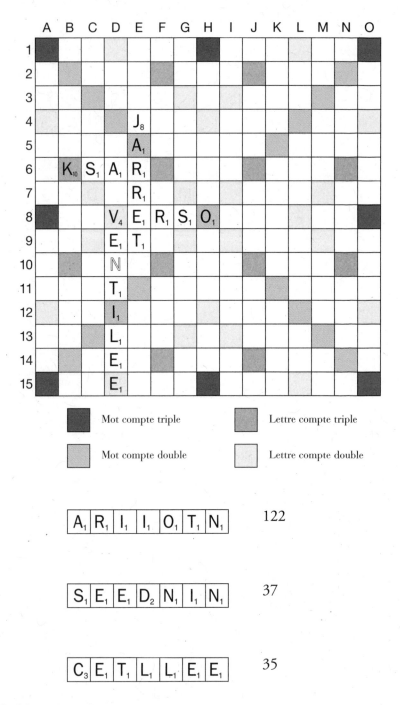

	A	B	C	D	E	F	G	H	I	J	K	L	M	N	O
1															
2															
3															
4					J_8										
5					A_1										
6	K_{10}	S_1	A_1	R_1											
7					R_1										
8				V_4	E_1	R_1	S_1	O_1							
9				E_1	T_1										
10				N											
11				T_1											
12				I_1											
13				L_1											
14				E_1											
15				E_1											

Mot compte triple   Lettre compte triple

Mot compte double   Lettre compte double

A_1 R_1 I_1 I_1 O_1 T_1 N_1 122

S_1 E_1 E_1 D_2 N_1 I_1 N_1 37

C_3 E_1 T_1 L_1 L_1 E_1 E_1 35

☆ 14

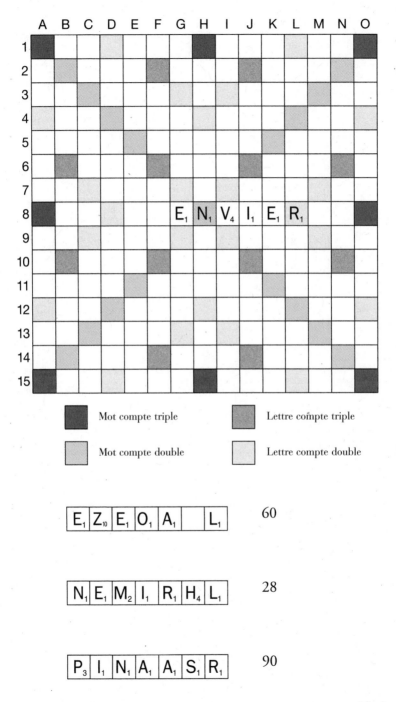

	A	B	C	D	E	F	G	H	I	J	K	L	M	N	O
8					E₁	N₁	V₄	I₁	E₁	R₁					

E₁ Z₁₀ E₁ O₁ A₁ _ L₁   60

N₁ E₁ M₂ I₁ R₁ H₄ L₁   28

P₃ I₁ N₁ A₁ A₁ S₁ R₁   90

Mot compte triple   Lettre compte triple

Mot compte double   Lettre compte double

	A	B	C	D	E	F	G	H	I	J	K	L	M	N	O
1															
2															
3															
4														M₂	
5														I₁	
6														X₁₀	
7														E₁	
8								N₁	O₁	U₁	R₁	R₁	I₁	E₁	S₁
9														O₁	
10														L₁	
11														D₂	
12														A₁	
13														T₁	
14															
15															

Mot compte triple   Lettre compte triple

Mot compte double   Lettre compte double

| B₃ | F₄ | U₁ | R₁ | G₂ | C₃ | E₁ | 31

| T₁ | N₁ | A₁ | N₁ | I₁ | E₁ | O₁ | 70

| T₁ | L₁ | H₄ | V₄ | M₂ | A₁ | G₂ | 22

17 ☆

Mot compte triple — Lettre compte triple

Mot compte double — Lettre compte double

| G₂ | F₄ | P₃ | T₁ | N₁ | M₂ | R₁ | 29 |

| F₄ | E₁ | Z₁₀ | L₁ | R₁ | R₁ | E₁ | 63 |

| C₃ | R₁ | | A₁ | I₁ | E₁ | N₁ | 86 |

☆ 18

	A	B	C	D	E	F	G	H	I	J	K	L	M	N	O
1															A₁
2														A₁	Y₁₀
3														L₁	
4														L₁	
5														A₁	
6						Q₈	U₁	E₁	M₂	A₁	N₁	D₂	E₁	S₁	
7						U₁									
8				F₄	L₁	O₁	T₁	S₁							
9				R₁		I₁									
10				E₁											
11				L₁											
12				E₁											
13															
14															
15															

Mot compte triple   Lettre compte triple

Mot compte double   Lettre compte double

B₃	O₁	N₁	R₁	I₁	X₁₀	O₁	37

R₁	N₁	I₁	U₁	A₁		E₁	77

H₄	P₃	O₁	R₁	V₄	D₂	U₁	23

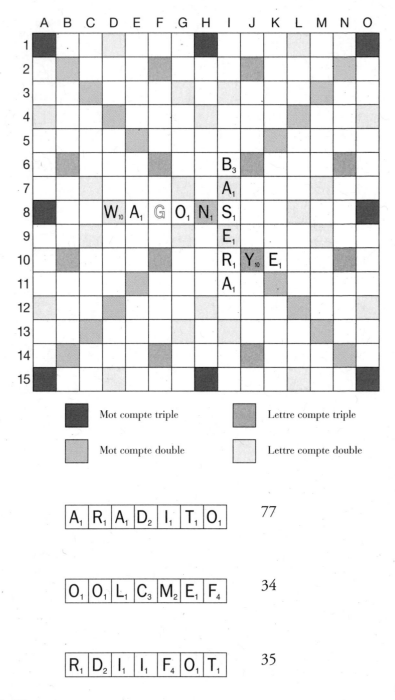

	A	B	C	D	E	F	G	H	I	J	K	L	M	N	O
6								B₃							
7								A₁							
8			W₁₀	A₁	G	O₁	N₁	S₁							
9								E₁							
10								R₁	Y₁₀	E₁					
11								A₁							

Mot compte triple   Lettre compte triple

Mot compte double   Lettre compte double

| A₁ | R₁ | A₁ | D₂ | I₁ | T₁ | O₁ | 77

| O₁ | O₁ | L₁ | C₃ | M₂ | E₁ | F₄ | 34

| R₁ | D₂ | I₁ | I₁ | F₄ | O₁ | T₁ | 35

☆ 20

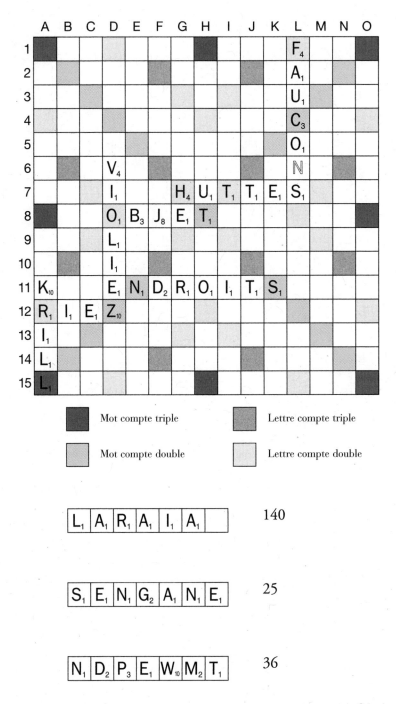

	A	B	C	D	E	F	G	H	I	J	K	L	M	N	O
1												F$_4$			
2												A$_1$			
3												U$_1$			
4												C$_3$			
5												O$_1$			
6				V$_4$								N			
7				I$_1$				H$_4$	U$_1$	T$_1$	T$_1$	E$_1$	S$_1$		
8				O$_1$	B$_3$	J$_8$	E$_1$	T$_1$							
9				L$_1$											
10				I$_1$											
11	K$_{10}$			E$_1$	N$_1$	D$_2$	R$_1$	O$_1$	I$_1$	T$_1$	S$_1$				
12	R$_1$	I$_1$	E$_1$	Z$_{10}$											
13	I$_1$														
14	L$_1$														
15	L$_1$														

Mot compte triple   Lettre compte triple

Mot compte double   Lettre compte double

L$_1$ A$_1$ R$_1$ A$_1$ I$_1$ A$_1$ 140

S$_1$ E$_1$ N$_1$ G$_2$ A$_1$ N$_1$ E$_1$ 25

N$_1$ D$_2$ P$_3$ E$_1$ W$_{10}$ M$_2$ T$_1$ 36

	A	B	C	D	E	F	G	H	I	J	K	L	M	N	O
1															
2															
3															
4								M_2							
5						N_1	A_1	J_8	A_1	S_1					
6								G_2							
7								I_1							
8			R_1	A_1	V_4	I_1	R_1	E_1	N_1	T_1					
9															
10															
11															
12															
13															
14															
15															

■ Mot compte triple   ■ Lettre compte triple

■ Mot compte double   ■ Lettre compte double

R_1 T_1 A_1 N_1 E_1 I_1 E_1 78

L_1 E_1 H_4 O_1 I_1 E_1 72

Q_8 T_1 L_1 R_1 O_1 Z_{10} E_1 34

☆ 22

	A	B	C	D	E	F	G	H	I	J	K	L	M	N	O
1															
2															
3															
4															
5															
6		Q_8	U_1	A_1	I_1										
7				R_1											
8				M_2	O_1	R_1	T_1	E_1							
9			W_{10}	U_1											
10	D_2			R											
11	E_1		H_4	I_1	V_4	E_1	R_1								
12	C_3			E_1											
13	A_1			R_1											
14	P_3	A_1	Y_{10}	E_1	N_1	T_1									
15	E_1														

Mot compte triple   Lettre compte triple

Mot compte double   Lettre compte double

C_3 E_1 S_1 U_1 V_4 G_2 38

M_2 N_1 I_1 L_1 A_1 T_1 A_1 88

J_8 F_4 O_1 X_{10} I_1 D_2 E_1 54

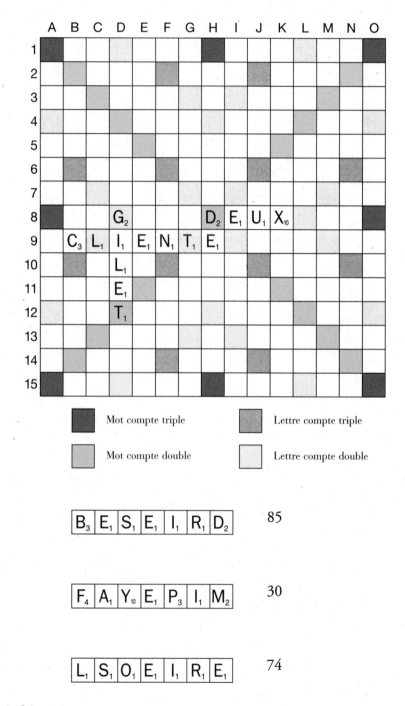

	A	B	C	D	E	F	G	H	I	J	K	L	M	N	O
1															
2															
3															
4															
5															
6															
7															
8				G_2				D_2	E_1	U_1	X_{10}				
9	C_3	L_1	I_1	E_1	N_1	T_1	E_1							
10				L_1											
11				E_1											
12				T_1											
13															
14															
15															

Mot compte triple   Lettre compte triple

Mot compte double   Lettre compte double

| B_3 | E_1 | S_1 | E_1 | I_1 | R_1 | D_2 | 85 |

| F_4 | A_1 | Y_{10} | E_1 | P_3 | I_1 | M_2 | 30 |

| L_1 | S_1 | O_1 | E_1 | I_1 | R_1 | E_1 | 74 |

☆ 24

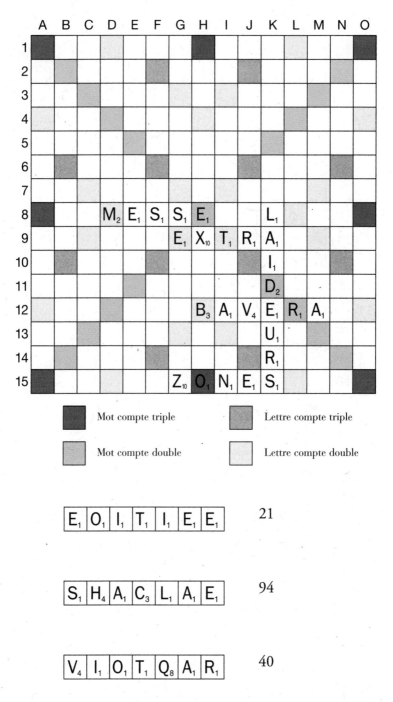

	A	B	C	D	E	F	G	H	I	J	K	L	M	N	O
1															
2															
3															
4															
5															
6															
7															
8				M_2	E_1	S_1	S_1	E_1			L_1				
9							E_1	X_{10}	T_1	R_1	A_1				
10											I_1				
11											D_2				
12							B_3	A_1	V_4		E_1	R_1	A_1		
13											U_1				
14											R_1				
15						Z_{10}	O_1	N_1	E_1	S_1					

Mot compte triple   Lettre compte triple

Mot compte double   Lettre compte double

E_1 O_1 I_1 T_1 I_1 E_1 E_1 21

S_1 H_4 A_1 C_3 L_1 A_1 E_1 94

V_4 I_1 O_1 T_1 Q_8 A_1 R_1 40

25 ☆

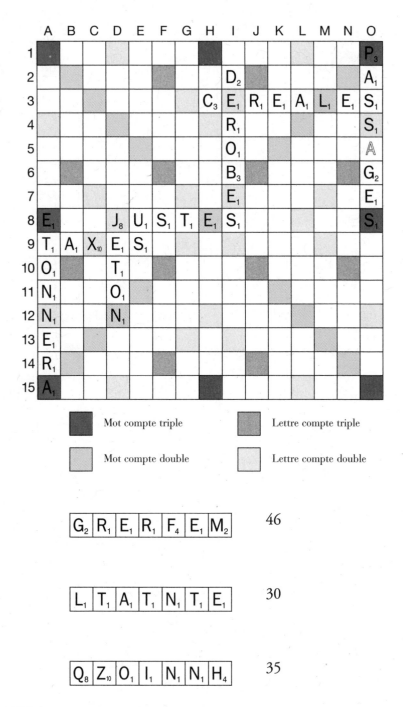

GRERFEM 46

LTATNTE 30

QZOINNH 35

☆ 26

	A	B	C	D	E	F	G	H	I	J	K	L	M	N	O
1															
2															
3															
4															
5											A_1				
6											C_3				
7											H_4				
8				R_1	E_1	M_2	U_1	E_1	R_1	A_1					
9				L_1	I_1	S_1	E_1	N_1	T_1		T_1				
10															
11															
12															
13															
14															
15															

Mot compte triple   Lettre compte triple

Mot compte double   Lettre compte double

O_1 I_1 I_1 S_1 E_1 S_1 ☐   85

V_4 I_1 X_{10} W_{10} A_1 U_1 R_1 36

I_1 C_3 T_1 T_1 E_1 N_1 E_1 39

27 ☆

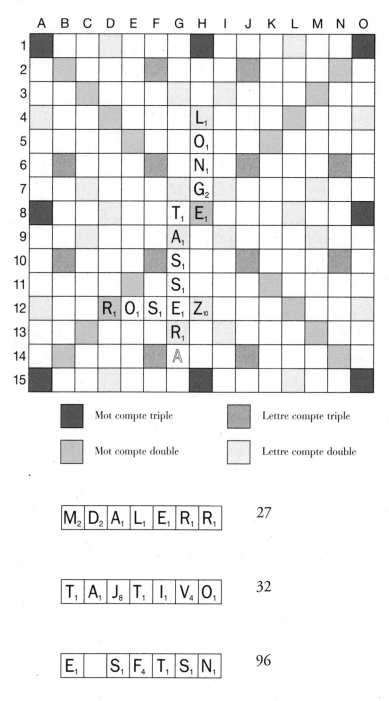

	A	B	C	D	E	F	G	H	I	J	K	L	M	N	O
1															
2															
3															
4								L₁							
5								O₁							
6								N₁							
7								G₂							
8							T₁	E₁							
9							A₁								
10							S₁								
11							S₁								
12				R₁	O₁	S₁	E₁	Z₁₀							
13							R₁								
14							A								
15															

Mot compte triple   Lettre compte triple

Mot compte double   Lettre compte double

M₂ D₂ A₁ L₁ E₁ R₁ R₁   27

T₁ A₁ J₈ T₁ I₁ V₄ O₁   32

E₁   S₁ F₄ T₁ S₁ N₁   96

29 ☆

☆ 30

	A	B	C	D	E	F	G	H	I	J	K	L	M	N	O
1												F₄			L₁
2									E₁	Q₈	U	I₁	P₃	A₁	I₁
3									C₃			X₁₀	I₁		M₂
4									R₁			E₁			E₁
5								M₂	I₁	N₁	E₁	R₁	A₁		
6									T₁						
7	H₄								E₁						
8	A₁			B₃	U₁	G₂	L₁	E₁	S₁						
9	T₁		K₁₀			A₁									
10	A₁	V₄	O₁	U₁	E₁	Z₁₀									
11	S₁		R₁												
12			E₁												
13			S₁												
14															
15															

Mot compte triple   Lettre compte triple

Mot compte double   Lettre compte double

O₁ R₁ J₈ R₁ A₁ M₂ A₁   62

L₁ H₄ T₁ U₁ D₂ P₃ E₁   24

T₁ E₁ N₁ ☐ C₃ S₁ I₁   72

31 ☆

	A	B	C	D	E	F	G	H	I	J	K	L	M	N	O
8				C₃	O₁	T₁	I₁	E₁	R	E₁					
9				A₁											
10				D₂	I₁	X₁₀									
11				R₁											
12				E₁											

Mot compte triple   Lettre compte triple

Mot compte double   Lettre compte double

| N₁ | G₂ | T₁ | A₁ | R₁ | I₁ | A₁ | 31

| A₁ | A₁ | V₄ | E₁ | R₁ | L₁ | S₁ | 99

| N₁ | A₁ | C₃ | T₁ | L₁ | O₁ | N₁ | 77

☆ 32

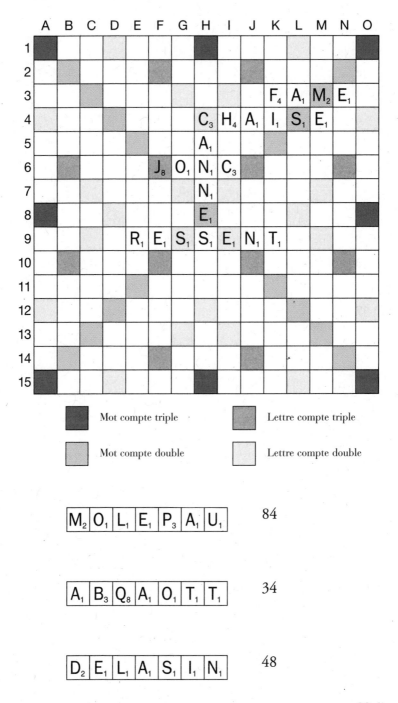

A B C D E F G H I J K L M N O
1 2 3 4 5 6 7 8 9 10 11 12 13 14 15
F4 A1 M2 E1
C3 H4 A1 I1 S1 E1
A1
J8 O1 N1 C3
N1
E1
R1 E1 S1 S1 E1 N1 T1

Mot compte triple — Lettre compte triple

Mot compte double — Lettre compte double

| M₂ | O₁ | L₁ | E₁ | P₃ | A₁ | U₁ |

84

| A₁ | B₃ | Q₈ | A₁ | O₁ | T₁ | T₁ |

34

| D₂ | E₁ | L₁ | A₁ | S₁ | I₁ | N₁ |

48

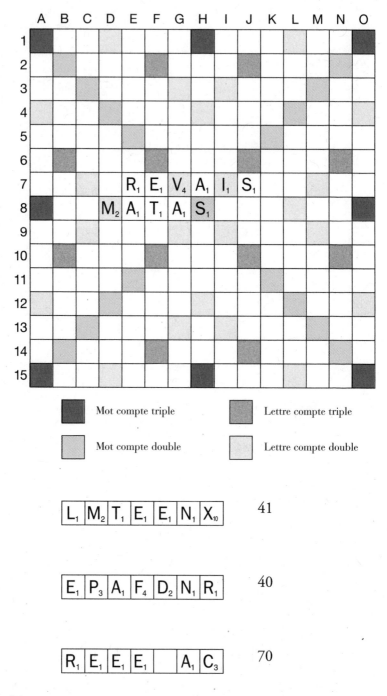

☆ 34

	A	B	C	D	E	F	G	H	I	J	K	L	M	N	O
1						V₄	O₁	U₁	T₁	E₁		Z₁₀		A₁	Y₁₀
2								A₁	X₁₀	I₁		O₁	N₁	S₁	
3												N₁			
4												A			
5												N₁			
6										J₈	E₁	T₁			
7						S₁	L₁	A₁	V₄	E₁					
8						I₁		H₄	A₁	T₁	I₁	F₄			
9						T₁						O₁			
10						U₁						R₁			
11						E₁			R₁	A₁	N₁	C₃	O₁	N₁	
12						R₁						E₁			
13						A₁									
14	T₁	I	Q₈	U₁	A₁	I₁	S₁								
15															

Mot compte triple   Lettre compte triple

Mot compte double   Lettre compte double

K₁₀ T₁ I₁ P₃ L₁ E₁ B₃   65

D₂ A₁ C₃ E₁ U₁ S₁ E₁   36

S₁ M₂ E₁ L₁ N₁ B₃ E₁   86

35 ☆

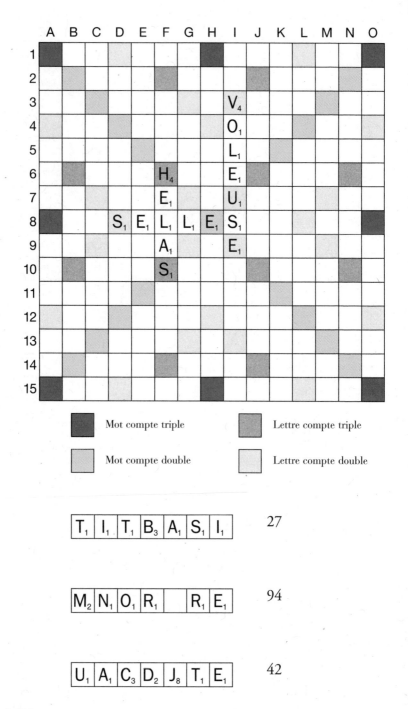

| | T₁ | I₁ | T₁ | B₃ | A₁ | S₁ | I₁ | | 27 |

| | M₂ | N₁ | O₁ | R₁ | | R₁ | E₁ | | 94 |

| | U₁ | A₁ | C₃ | D₂ | J₈ | T₁ | E₁ | | 42 |

☆ 36

	A	B	C	D	E	F	G	H	I	J	K	L	M	N	O
1															
2					P₃										
3					E₁										
4					R₁										
5					D₂										
6			D₂	E₁	U₁	X₁₀				W₁₀					
7					R₁					A₁					
8				B₃	A₁	N₁	Q₈	U	E₁	T₁					
9					I₁					T₁					
10								G₂	E₁	S₁	I₁	E₁	R₁		
11								A₁							
12								N₁							
13								T₁							
14								A₁							
15								I₁							

Mot compte triple Lettre compte triple

Mot compte double Lettre compte double

C₃ S₁ L₁ U₁ M₂ A₁ N₁ 39

M₂ O₁ V₄ K₁₀ T₁ E₁ N₁ 28

J₈ E₁ E₁ A₁ I₁ U₁ 78

37 ☆

Mot compte triple   Lettre compte triple

Mot compte double   Lettre compte double

| K10 | S1 | A1 | R1 | S1 |

J8 E1 N1 V4 D2 A1 N1   31

E1 H4 T1 E1 A1 C3 S1   68

R1 S1 I1 L1 E1 U1 E1   14

☆ 38

	A	B	C	D	E	F	G	H	I	J	K	L	M	N	O
1															
2															
3															
4												V_4			
5											J_8	E_1			
6										C_3	A_1	L_1			
7						W_{10}				H_4	I_1	E_1			
8						F_4	O_1	N_1	T_1	E_1	S_1				
9							N_1			R_1					
10							S_1								
11															
12															
13															
14															
15															

Mot compte triple   Lettre compte triple

Mot compte double   Lettre compte double

| E_1 | N_1 | E_1 | Z_{10} | N_1 | T_1 | T_1 | 49 |

| E_1 | R_1 | C_3 | E_1 | T_1 | R_1 | A_1 | 99 |

| R_1 | T_1 | | I_1 | S_1 | A_1 | O_1 | 78 |

	A	B	C	D	E	F	G	H	I	J	K	L	M	N	O
1												C₃	A₁	K₁₀	E
2												H₄			
3												E₁	H₄		
4												M₂	I₁		
5											M₂	I₁	E₁		
6						F₄				W₁₀	O₁	N₁	S₁		
7				D₂	I₁	X₁₀					R₁				
8					L₁	I₁	V₄	R₁	E₁	S₁					
9					E₁					U₁					
10					R₁					R₁					
11										E₁				A₁	
12										S₁	A₁	L₁	E₁	Z₁₀	
13														O₁	
14														T₁	
15														E₁	

Mot compte triple   Lettre compte triple

Mot compte double   Lettre compte double

Q₈ A₁ S₁ G₂   E₁ I₁   31

R₁ E₁ P₃ N₁ A₁ S₁ T₁   81

V₄ N₁ N₁ E₁ L₁ T₁ A₁   83

☆ 42

	A	B	C	D	E	F	G	H	I	J	K	L	M	N	O
1															M₂
2															O₁
3															D₂
4												G₂			E₁
5					F₄							A₁			L₁
6					L₁					K₁₀		T₁		D₂	E₁
7					O₁		A₁	V₄	E₁	N₁	U₁	E₁		I₁	
8			B₃	R₁	O₁	Y₁₀	E₁		O₁		R₁	I₁	V₄	A₁
9				E₁				W₁₀	U				I₁	
10					H₄		P₃	U₁	T₁				N₁	
11			F₄	A₁	X₁₀	E₁	R₁	A₁	S₁				I₁	
12	R₁	A₁	N₁	I₁			N₁			H₄	I₁	T₁	
13							E₁				E₁	N₁	
14			C₃	O₁	Q₈	U₁	E₁					E₁
15						S₁						Z₁₀

Mot compte triple   Lettre compte triple

Mot compte double   Lettre compte double

| T₁ | B₃ | A₁ | S₁ | G₂ | A₁ | L₁ | 28

| N₁ | T₁ | E₁ | T₁ | S₁ | S₁ | L₁ | 32

| L₁ | P₃ | I₁ | | O₁ | J₈ | E₁ | 54

43 ☆

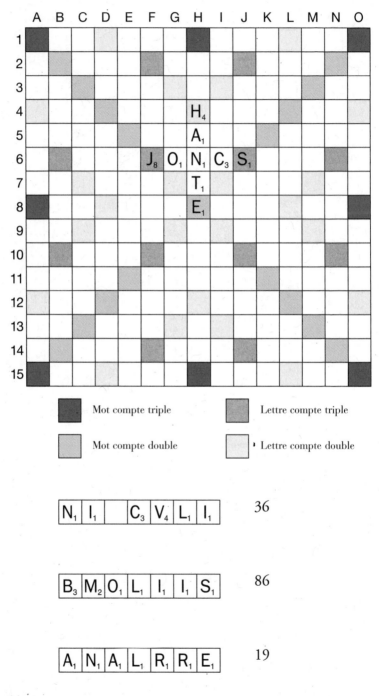

	A	B	C	D	E	F	G	H	I	J	K	L	M	N	O
1															
2															
3															
4								H$_4$							
5								A$_1$							
6						J$_8$	O$_1$	N$_1$	C$_3$	S$_1$					
7								T$_1$							
8								E$_1$							
9															
10															
11															
12															
13															
14															
15															

Mot compte triple   Lettre compte triple

Mot compte double   ' Lettre compte double

N$_1$ I$_1$ [ ] C$_3$ V$_4$ L$_1$ I$_1$ 36

B$_3$ M$_2$ O$_1$ L$_1$ I$_1$ I$_1$ S$_1$ 86

A$_1$ N$_1$ A$_1$ L$_1$ R$_1$ R$_1$ E$_1$ 19

☆ 44

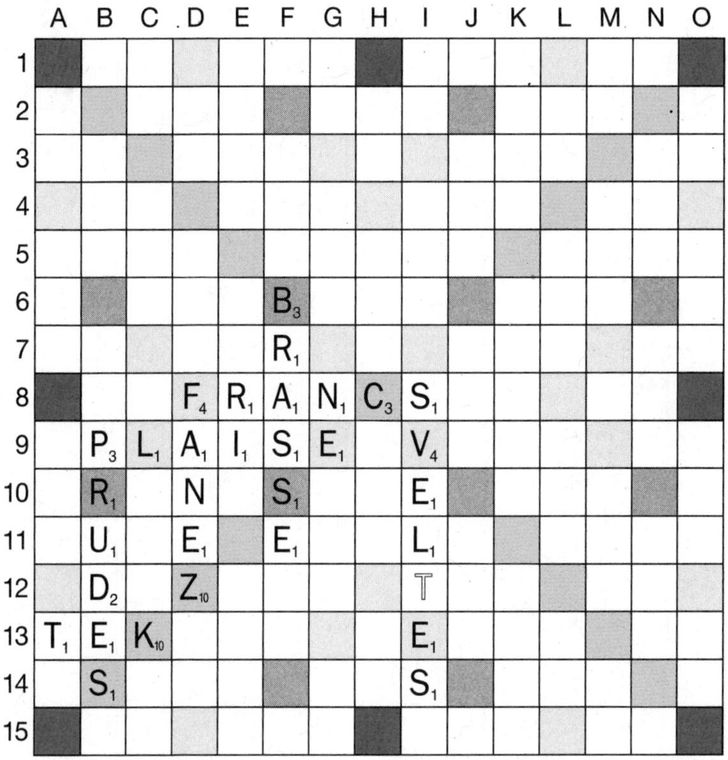

Scrabble grid (columns A–O, rows 1–15) with the following tiles placed:

- Row 6: F6 = B₃
- Row 7: F7 = R₁
- Row 8: D8 = F₄, E8 = R₁, F8 = A₁, G8 = N₁, H8 = C₃, I8 = S₁
- Row 9: B9 = P₃, C9 = L₁, D9 = A₁, E9 = I₁, F9 = S₁, G9 = E₁, I9 = V₄
- Row 10: B10 = R₁, D10 = N, F10 = S₁, I10 = E₁
- Row 11: B11 = U₁, D11 = E₁, F11 = E₁, I11 = L₁
- Row 12: B12 = D₂, D12 = Z₁₀, I12 = T
- Row 13: A13 = T₁, B13 = E₁, C13 = K₁₀, I13 = E₁
- Row 14: B14 = S₁, I14 = S₁

Legend:

Mot compte triple	Lettre compte triple
Mot compte double	Lettre compte double

Racks:

O₁ R₁ L₁ F₄ U₁ H₄ O₁   25

R₁ X₁₀ N₁ A₁ T₁ E₁ T₁   86

E₁ D₂ Q₈ I₁ E₁ E₁   31

45 ☆

	A	B	C	D	E	F	G	H	I	J	K	L	M	N	O
7										B₃	I₁	D₂	O₁	N₁	
8								C₃	O₁	U₁					
9		C₃	E₁	N₁	T₁	R₁	E₁	E₁							

Mot compte triple   Lettre compte triple

Mot compte double   Lettre compte double

| K₁₀ | R₁ | T₁ | Y₁₀ | U₁ | E₁ | I₁ | 32 |

| O₁ | S₁ | | U₁ | I₁ | E₁ | S₁ | 80 |

| E₁ | A₁ | L₁ | A₁ | M₂ | M₂ | N₁ | 66 |

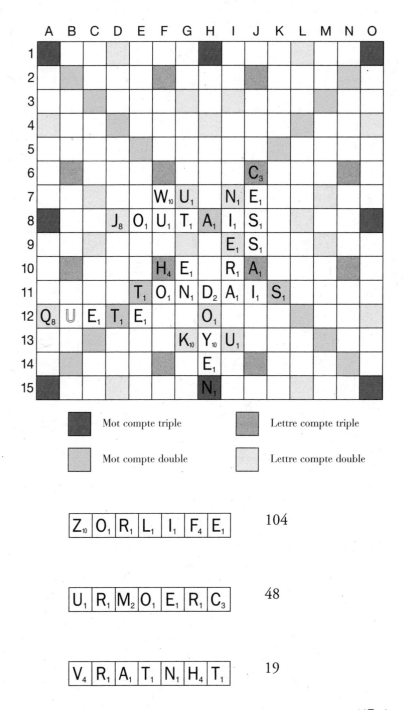

	A	B	C	D	E	F	G	H	I	J	K	L	M	N	O
1															
2															
3															
4															
5															
6										C_3					
7						W_{10}	U_1		N_1	E_1					
8				J_8	O_1	U_1	T_1	A_1	I_1	S_1					
9									E_1	S_1					
10					H_4	E_1		R_1	A_1						
11				T_1	O_1	N_1	D_2	A_1	I_1	S_1					
12	Q_8	U	E_1	T_1	E_1			O_1							
13						K_{10}	Y_{10}	U_1							
14								E_1							
15								N_1							

Mot compte triple   Lettre compte triple

Mot compte double   Lettre compte double

| Z_{10} | O_1 | R_1 | L_1 | I_1 | F_4 | E_1 | 104 |

| U_1 | R_1 | M_2 | O_1 | E_1 | R_1 | C_3 | 48 |

| V_4 | R_1 | A_1 | T_1 | N_1 | H_4 | T_1 | 19 |

47 ☆

	A	B	C	D	E	F	G	H	I	J	K	L	M	N	O
1															
2															
3															
4															
5															
6															
7															
8							R_1	I_1	X_{10}	E_1					L_1
9								L_1	I_1	N_1					I_1
10	B_3	I_1	Q_8	U	E_1	T_1	S_1			J_8					T_1
11										O_1					E_1
12										L_1	A_1	N_1	C_3	E_1	Z_{10}
13										E_1					
14						N_1	A_1	V_4	R_1	A_1	N_1	T_1			
15				P_3	E_1	L_1	A_1	S_1			S_1	A_1	U_1	R_1	A_1

Mot compte triple   Lettre compte triple

Mot compte double   Lettre compte double

P_3 S_1 E_1 C_3 R_1 E_1 S_1 49

T_1 I_1 I_1 U_1 E_1 S_1 U_1 28

A_1 B_3 E_1 I_1 G_2 R_1 81

☆ 50

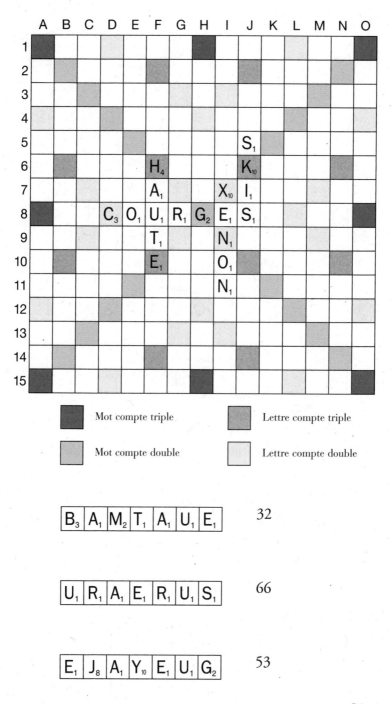

	A	B	C	D	E	F	G	H	I	J	K	L	M	N	O
1															
2															
3															
4															
5									S₁						
6						H₄			K₁₀						
7						A₁			X₁₀	I₁					
8			C₃	O₁	U₁	R₁	G₂	E₁	S₁						
9						T₁			N₁						
10						E₁			O₁						
11									N₁						
12															
13															
14															
15															

Mot compte triple   Lettre compte triple

Mot compte double   Lettre compte double

B_3 A_1 M_2 T_1 A_1 U_1 E_1 32

U_1 R_1 A_1 E_1 R_1 U_1 S_1 66

E_1 J_8 A_1 Y_{10} E_1 U_1 G_2 53

51 ☆

	A	B	C	D	E	F	G	H	I	J	K	L	M	N	O
1															
2															
3													A₁		
4											C₃	U₁	B₃	E₁	S₁
5													A₁		
6										P₃	U₁	N₁	I₁	R₁	A₁
7						V₄	I₁	D₂	A₁				S₁		
8								L₁	O₁	Y₁₀	E₁	R₁	S₁		
9									E₁				E₁		
10		C₃	O₁	A₁	N	I₁	M₂	E₁	Z₁₀						
11								O₁							
12						Q₈	U₁	I₁	D₂	A₁	M₂				
13								L₁							
14								A₁							
15								I₁							

Mot compte triple   Lettre compte triple

Mot compte double   Lettre compte double

| T₁ | E₁ | B₃ | H₄ | F₄ | R₁ | G₂ | 29 |

| E₁ | | N₁ | S₁ | R₁ | E₁ | T₁ | 122 |

| I₁ | V₄ | I₁ | L₁ | E₁ | T₁ | E₁ | 27 |

☆ 52

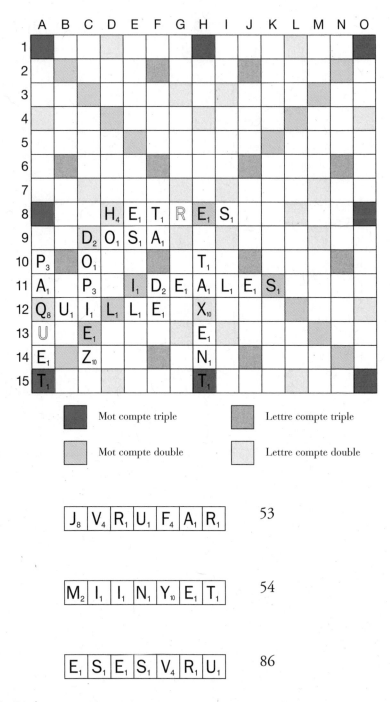

55 ☆

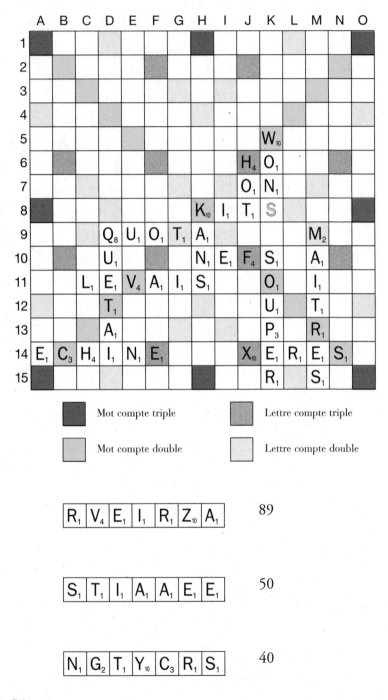

									J₈					
							F₄	O₁	U₁	T₁	U₁	S₁		
		V₄	E₁	R₁	S₁	A₁	N₁	T₁					
								E₁					

| L₁ | | I₁ | O₁ | E₁ | E₁ | S₁ | 84

| N₁ | K₁₀ | E₁ | H₄ | A₁ | S₁ | A₁ | 53

| E₁ | R₁ | E₁ | N₁ | S₁ | N₁ | E₁ | 53

57 ☆

	A	B	C	D	E	F	G	H	I	J	K	L	M	N	O
1															
2															
3															
4															
5					V$_4$										
6					O$_1$										
7		P$_3$			L$_1$										
8	L$_1$	A$_1$	V$_4$	A$_1$	N$_1$	D$_2$	E$_1$								
9		A$_1$			G$_2$										
10		Q$_8$			E$_1$										
11		U$_1$			S$_1$										
12		E$_1$		K$_{10}$		B$_3$									
13	C$_3$	R$_1$	O$_1$	I$_1$	S$_1$	E$_1$									
14				W$_{10}$		Y$_{10}$									
15				I$_1$		S$_1$									

Mot compte triple   Lettre compte triple

Mot compte double   Lettre compte double

| I$_1$ | B$_3$ | A$_1$ | A$_1$ | T$_1$ | | A$_1$ | 140

| N$_1$ | F$_4$ | L$_1$ | D$_2$ | A$_1$ | P$_3$ | H$_4$ | 34

| O$_1$ | H$_4$ | I$_1$ | E$_1$ | C$_3$ | U$_1$ | E$_1$ | 33

☆ 60

	A	B	C	D	E	F	G	H	I	J	K	L	M	N	O
1															T₁
2															R₁
3													L₁		E₁
4					M₂								A₁		V₄
5					O₁					C₃	A₁	S₁	Q₈	U	E₁
6					U₁			H₄					U₁		
7					T₁					A₁			E₁		
8			B₃	A₁	I₁	G₂	N₁	E₁	R₁		P₃	R₁	I₁	T₁
9					R₁					N₁			A₁		
10					D₂					U₁		R₁	I₁	Z₁₀	
11					E₁					E₁					
12															
13															
14															
15															

Mot compte triple — Lettre compte triple

Mot compte double — Lettre compte double

U₁ R₁ _ S₁ A₁ D₂ N₁   86

E₁ N₁ O₁ P₃ B₃ T₁ E₁   28

W₁₀ S₁ U₁ L₁ C₃ A₁ E₁   59

61 ☆

	A	B	C	D	E	F	G	H	I	J	K	L	M	N	O
1															
2															
3										B₃					
4										I₁					
5										S₁					
6								G₂		O₁					
7								R₁		U₁					
8			S₁	A₁	T₁	I₁	N₁	E₁	E₁	S₁					
9										C₃					
10										Q₈					
11										U					
12										E₁					
13															
14															
15															

Mot compte triple   Lettre compte triple

Mot compte double   Lettre compte double

| V₄ | L₁ | O₁ | A₁ | O₁ | S₁ | A₁ | 34

| N₁ | U₁ | R₁ | G₂ | E₁ | P₃ | U₁ | 30

| E₁ | F₄ | I₁ | D₂ | R₁ | I₁ | I₁ | 90

☆ 62

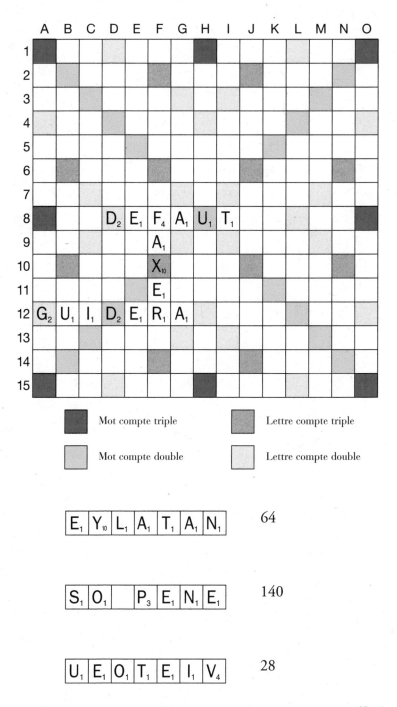

	A	B	C	D	E	F	G	H	I	J	K	L	M	N	O
8				D₂	E₁	F₄	A₁	U₁	T₁					
9						A₁								
10						X₁₀								
11						E₁								
12	G₂	U₁	I₁	D₂	E₁	R₁	A₁							

Mot compte triple — Lettre compte triple

Mot compte double — Lettre compte double

| E₁ | Y₁₀ | L₁ | A₁ | T₁ | A₁ | N₁ | 64 |

| S₁ | O₁ | | P₃ | E₁ | N₁ | E₁ | 140 |

| U₁ | E₁ | O₁ | T₁ | E₁ | I₁ | V₄ | 28 |

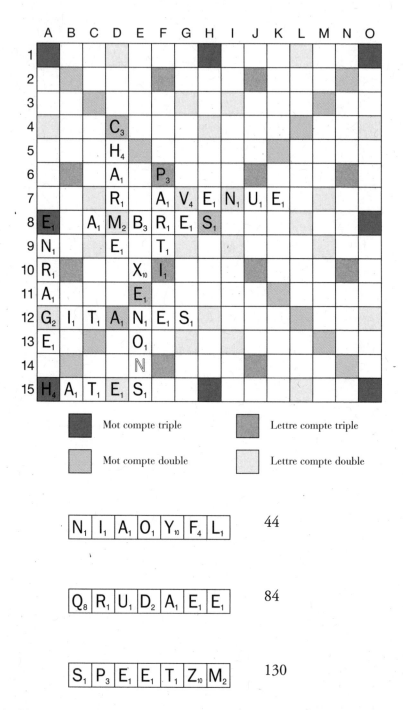

	A	B	C	D	E	F	G	H	I	J	K	L	M	N	O
1															
2															
3															
4				C_3											
5				H_4											
6				A_1		P_3									
7				R_1		A_1	V_4	E_1	N_1	U_1	E_1				
8	E_1		A_1	M_2	B_3	R_1	E_1	S_1							
9	N_1			E_1		T_1									
10	R_1				X_{10}	I_1									
11	A_1				E_1										
12	G_2	I_1	T_1	A_1	N_1	E_1	S_1								
13	E_1				O_1										
14					N										
15	H_4	A_1	T_1	E_1	S_1										

Mot compte triple   Lettre compte triple

Mot compte double   Lettre compte double

N_1 I_1 A_1 O_1 Y_{10} F_4 L_1 44

Q_8 R_1 U_1 D_2 A_1 E_1 E_1 84

S_1 P_3 E_1 E_1 T_1 Z_{10} M_2 130

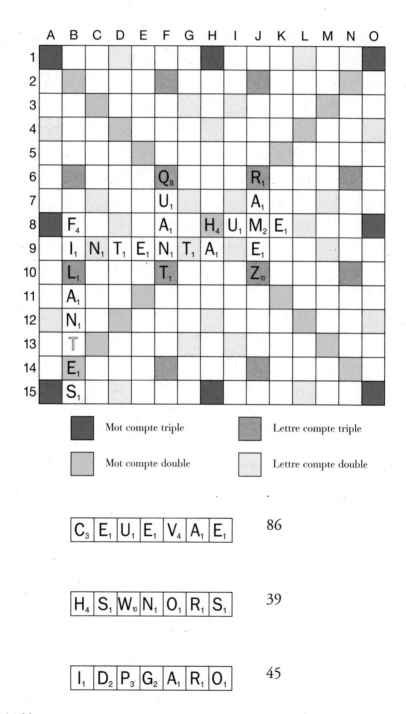

	A	B	C	D	E	F	G	H	I	J	K	L	M	N	O
1															
2															
3															
4															
5															
6						Q_8				R_1					
7						U_1				A_1					
8		F_4				A_1		H_4	U_1	M_2	E_1				
9		I_1	N_1	T_1	E_1	N_1	T_1	A_1		E_1					
10		L_1				T_1				Z_{10}					
11		A_1													
12		N_1													
13		T													
14		E_1													
15		S_1													

Mot compte triple   Lettre compte triple

Mot compte double   Lettre compte double

| C_3 | E_1 | U_1 | E_1 | V_4 | A_1 | E_1 | 86 |

| H_4 | S_1 | W_{10} | N_1 | O_1 | R_1 | S_1 | 39 |

| I_1 | D_2 | P_3 | G_2 | A_1 | R_1 | O_1 | 45 |

☆ 66

	A	B	C	D	E	F	G	H	I	J	K	L	M	N	O
1															H₄
2									F₄						U₁
3									O₁						M₂
4								C₃	R₁	E	V₄	A₁	N₁	T₁	E₁
5									G₂						E₁
6									E₁						
7				J₈					E₁						
8			F₄	O₁	S₁	S₁	E₁	S₁							
9				U₁											
10	W₁₀	A₁	T₁	T₁											
11				E₁											
12	Q₈	U₁	E₁	L₁	S										
13															
14															
15															

Mot compte triple   Lettre compte triple

Mot compte double   Lettre compte double

| C₃ | X₁₀ | I₁ | S₁ | U₁ | I₁ | L₁ | 39 |

| E₁ | I₁ | H₄ | N₁ | L₁ | Z₁₀ | R₁ | 52 |

| T₁ | N₁ | A₁ | G₂ | A₁ | S₁ | I₁ | 75 |

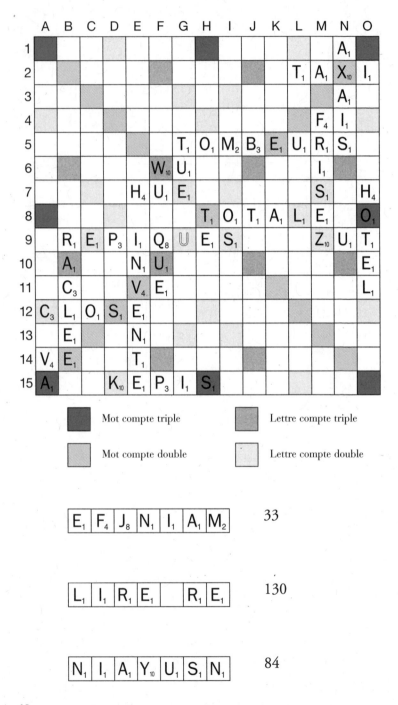

Mot compte triple — Lettre compte triple
Mot compte double — Lettre.compte double

| E₁ | N₁ | | N₁ | I₁ | R₁ | X₁₀ | 68 |

| E₁ | R₁ | T₁ | N₁ | T₁ | E₁ | E₁ | 78 |

| N₁ | A₁ | Y₁₀ | S₁ | G₂ | O₁ | R₁ | 65 |

69 ☆

	A	B	C	D	E	F	G	H	I	J	K	L	M	N	O
1															
2															
3															
4															
5															
6						C_3									
7						U_1									
8				E_1	L_1	I_1	R_1	E_1							
9						T_1									
10						E_1									
11				J_8	A_1	S_1	E_1								
12															
13															
14															
15															

Mot compte triple   Lettre compte triple

Mot compte double   Lettre compte double

I_1 M_2 H_4 G_2 O_1 E_1 S_1 46

D_2 I_1 E_1 P_3 A_1 ☐ S_1 89

T_1 L_1 N_1 I_1 S_1 R_1 I_1 27

☆ 70

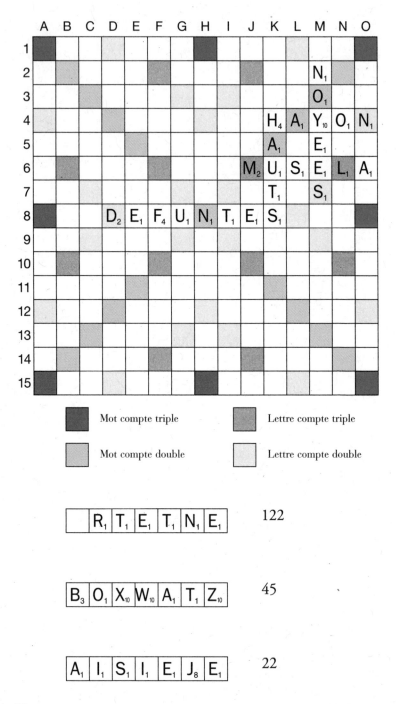

☆ 72

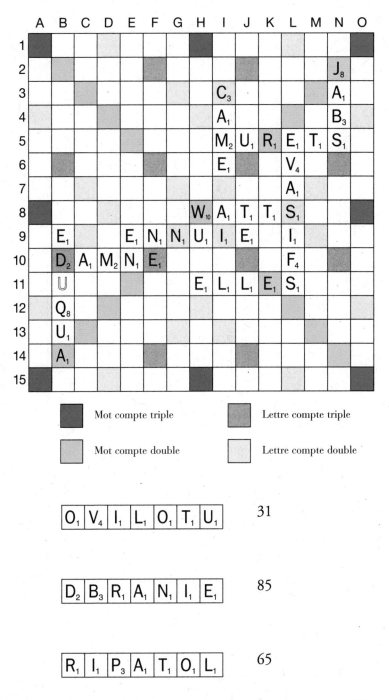

	A	B	C	D	E	F	G	H	I	J	K	L	M	N	O
1															
2														J_8	
3									C_3					A_1	
4									A_1					B_3	
5									M_2	U_1	R_1	E_1	T_1	S_1	
6									E_1			V_4			
7												A_1			
8								W_{10}	A_1	T_1	T_1	S_1			
9		E_1			E_1	N_1	N_1	U_1	I_1	E_1		I_1			
10		D_2	A_1	M_2	N_1	E_1						F_4			
11		U						E_1	L_1	L_1	E_1	S_1			
12		Q_8													
13		U_1													
14		A_1													
15															

- ■ Mot compte triple
- ■ Lettre compte triple
- ■ Mot compte double
- ■ Lettre compte double

| O_1 | V_4 | I_1 | L_1 | O_1 | T_1 | U_1 | | 31 |

| D_2 | B_3 | R_1 | A_1 | N_1 | I_1 | E_1 | | 85 |

| R_1 | I_1 | P_3 | A_1 | T_1 | O_1 | L_1 | | 65 |

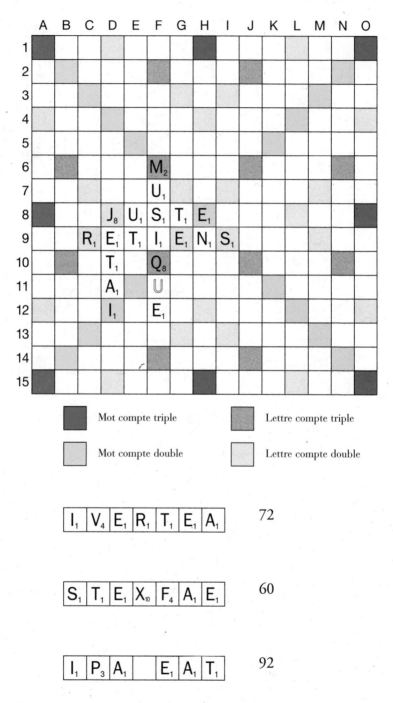

Mot compte triple   Lettre compte triple

Mot compte double   Lettre compte double

| I₁ | V₄ | E₁ | R₁ | T₁ | E₁ | A₁ | 72

| S₁ | T₁ | E₁ | X₁₀ | F₄ | A₁ | E₁ | 60

| I₁ | P₃ | A₁ | | E₁ | A₁ | T₁ | 92

☆ 74

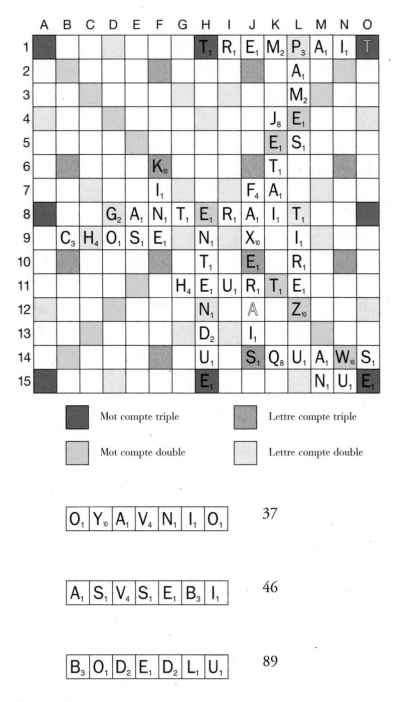

	A	B	C	D	E	F	G	H	I	J	K	L	M	N	O
1								T₁	R₁	E₁	M₂	P₃	A₁	I₁	T
2											A₁				
3											M₂				
4										J₈	E₁				
5										E₁	S₁				
6						K₁₀					T₁				
7						I₁				F₄	A₁				
8				G₂	A₁	N₁	T₁	E₁	R₁	A₁	I₁	T₁			
9		C₃	H₄	O₁	S₁	E₁		N₁		X₁₀		I₁			
10								T₁		E₁		R₁			
11						H₄	E₁	U₁	R₁	T₁	E₁			
12								N₁		A		Z₁₀			
13								D₂		I₁					
14								U₁		S₁	Q₈	U₁	A₁	W₁₀	S₁
15								E₁					N₁	U₁	E₁

Mot compte triple   Lettre compte triple

Mot compte double   Lettre compte double

| O₁ | Y₁₀ | A₁ | V₄ | N₁ | I₁ | O₁ | 37 |

| A₁ | S₁ | V₄ | S₁ | E₁ | B₃ | I₁ | 46 |

| B₃ | O₁ | D₂ | E₁ | D₂ | L₁ | U₁ | 89 |

☆ 76

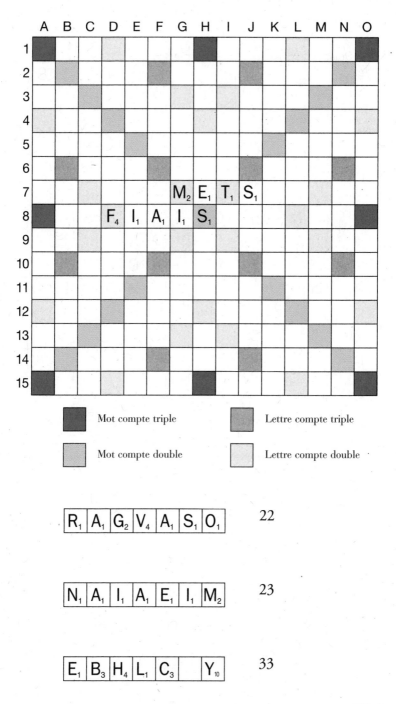

	A	B	C	D	E	F	G	H	I	J	K	L	M	N	O
7							M_2	E_1	T_1	S_1					
8			F_4	I_1	A_1	I_1	S_1								

Mot compte triple — Lettre compte triple

Mot compte double — Lettre compte double

R_1 A_1 G_2 V_4 A_1 S_1 O_1 — 22

N_1 A_1 I_1 A_1 E_1 I_1 M_2 — 23

E_1 B_3 H_4 L_1 C_3 Y_{10} — 33

☆ 78

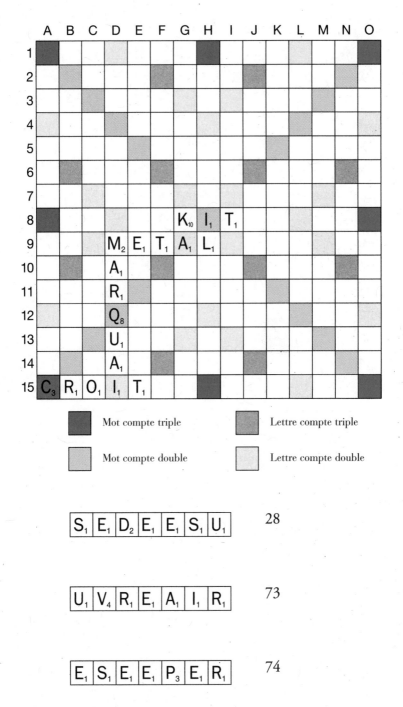

	A	B	C	D	E	F	G	H	I	J	K	L	M	N	O
1															
2															
3															
4															
5															
6															
7															
8								K_{10}	I_1	T_1						
9				M_2	E_1	T_1	A_1	L_1							
10				A_1											
11				R_1											
12				Q_8											
13				U_1											
14				A_1											
15	C_3	R_1	O_1	I_1	T_1										

Mot compte triple   Lettre compte triple

Mot compte double   Lettre compte double

S_1 E_1 D_2 E_1 E_1 S_1 U_1 28

U_1 V_4 R_1 E_1 A_1 I_1 R_1 73

E_1 S_1 E_1 E_1 P_3 E_1 R_1 74

79 ☆

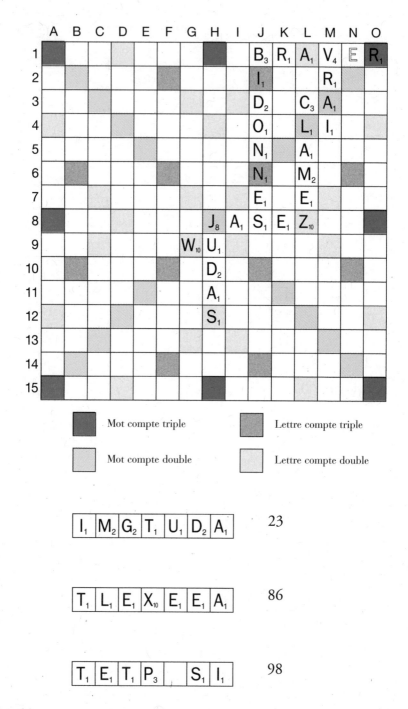

	A	B	C	D	E	F	G	H	I	J	K	L	M	N	O
1										B₃	R₁	A₁	V₄	E	R₁
2										I₁			R₁		
3										D₂		C₃	A₁		
4										O₁		L₁	I₁		
5										N₁		A₁			
6										N₁		M₂			
7										E₁		E₁			
8								J₈	A₁	S₁	E₁	Z₁₀			
9							W₁₀	U₁							
10								D₂							
11								A₁							
12								S₁							
13															
14															
15															

Mot compte triple

Lettre compte triple

Mot compte double

Lettre compte double

I₁ M₂ G₂ T₁ U₁ D₂ A₁   23

T₁ L₁ E₁ X₁₀ E₁ E₁ A₁   86

T₁ E₁ T₁ P₃ ☐ S₁ I₁   98

☆ 80

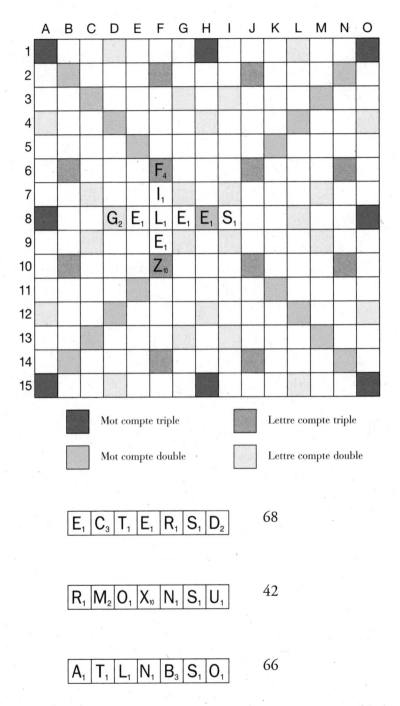

☆ 82

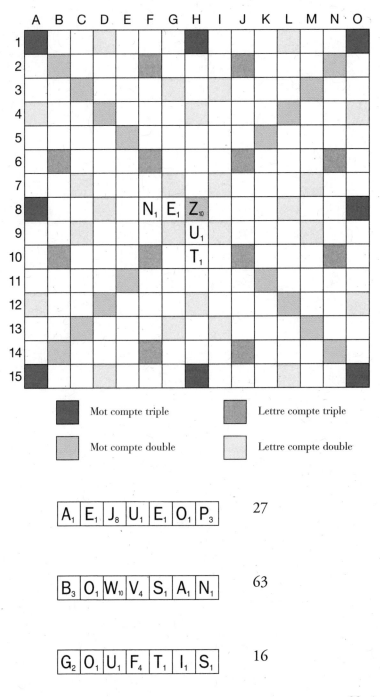

	A	B	C	D	E	F	G	H	I	J	K	L	M	N	O
1															
2															
3															
4															
5															
6	M₂														
7	O₁														
8	N₁			C₃	H₄	E₁	R₁	E₁							
9	T₁				A₁										
10	R₁				I₁										
11	A₁	L₁	L₁	O₁	N₁	G	E₁	E₁							
12	I₁				E₁										
13					U₁										
14					X₁₀										
15															

Mot compte triple   Lettre compte triple

Mot compte double   Lettre compte double

| N₁ | L₁ | E₁ | E₁ | C₃ | W₁₀ | E₁ | | 17 |

| E₁ | Q₈ | N₁ | N₁ | | E₁ | D₂ | | 45 |

| S₁ | B₃ | E₁ | O₁ | E₁ | R₁ | I₁ | | 83 |

☆ 84

	A	B	C	D	E	F	G	H	I	J	K	L	M	N	O
1															
2															
3															
4															
5															
6															
7				H_4	A_1	I_1	N_1	E_1							
8				J_8	O_1	U_1	L_1	E_1							
9				O_1											
10				L_1											
11			N_1	I_1	E_1	C_3	E_1								
12	Q_8	U_1	I_1	E_1	T_1										
13															
14															
15															

Mot compte triple   Lettre compte triple

Mot compte double   Lettre compte double

H_4 O_1 E_1 R_1 U_1 T_1 K_{10} 48

S_1 U_1 M_2 F_4 E_1 T_1 72

M_2 E_1 U_1 P_3 A_1 S_1 O_1 38

	A	B	C	D	E	F	G	H	I	J	K	L	M	N	O
1								H$_4$	A$_1$	T$_1$	E$_1$	R$_1$			
2					A$_1$	X$_{10}$	A$_1$	I$_1$				A$_1$			
3												M$_2$			
4												E$_1$			
5												N$_1$			
6										T$_1$		A$_1$			
7									J$_8$	E$_1$		I$_1$			
8								C$_3$	A$_1$	K$_{10}$	E$_1$	S$_1$			
9									S$_1$						
10									A$_1$	Y$_{10}$					
11										O$_1$					
12										L$_1$					
13										E$_1$					
14															
15															

Mot compte triple   Lettre compte triple

Mot compte double   Lettre compte double

| L$_1$ | S$_1$ | I$_1$ | P$_3$ | H$_4$ | N$_1$ | D$_2$ | 28

| F$_4$ | E$_1$ | R$_1$ | G$_2$ | | L$_1$ | S$_1$ | 48

| E$_1$ | D$_2$ | S$_1$ | U$_1$ | T$_1$ | E$_1$ | I$_1$ | 82

☆ 86

	A	B	C	D	E	F	G	H	I	J	K	L	M	N	O
1															
2															
3															
4															
5															
6										V₄					
7										I₁					
8				M₂	A₁	I₁	S₁	O₁	N₁	S₁					
9	T₁	R₁	I₁	A₁	I₁					E₁					
10						P₃	A₁	M₂	E₁	Z₁₀					
11								O							
12								Y₁₀							
13								E₁							
14								N₁							
15								S₁							

Mot compte triple   Lettre compte triple

Mot compte double   Lettre compte double

R₁ A₁ E₁ A₁   E₁ T₁   122

L₁ J₈ U₁ M₂ I₁ T₁ E₁   39

E₁ D₂ E₁ R₁ R₁ R₁ E₁   94

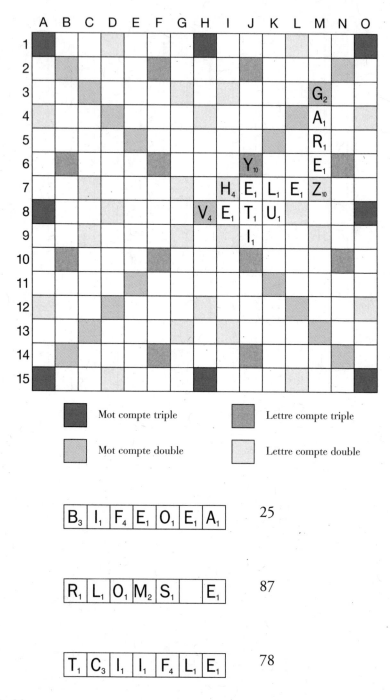

	A	B	C	D	E	F	G	H	I	J	K	L	M	N	O
1															
2															
3													G₂		
4													A₁		
5													R₁		
6										Y₁₀			E₁		
7								H₄	E₁	L₁	E₁	Z₁₀		
8								V₄	E₁	T₁	U₁				
9									I₁						
10															
11															
12															
13															
14															
15															

Mot compte triple   Lettre compte triple

Mot compte double   Lettre compte double

| B₃ | I₁ | F₄ | E₁ | O₁ | E₁ | A₁ | 25

| R₁ | L₁ | O₁ | M₂ | S₁ | | E₁ | 87

| T₁ | C₃ | I₁ | I₁ | F₄ | L₁ | E₁ | 78

☆ 88

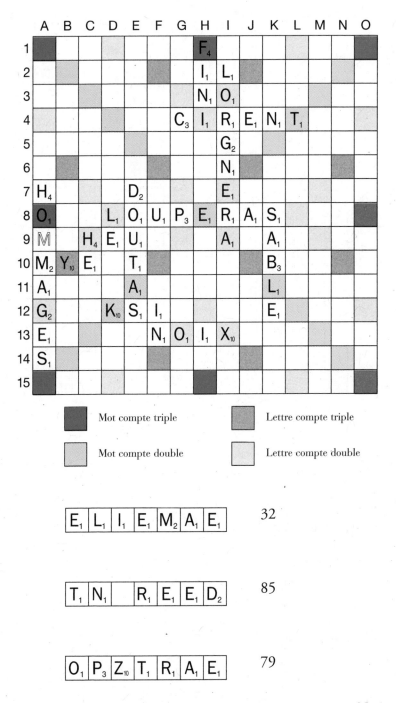

	A	B	C	D	E	F	G	H	I	J	K	L	M	N	O
1								F₄							
2								I₁	L₁						
3								N₁	O₁						
4						C₃	I₁	R₁	E₁	N₁	T₁				
5									G₂						
6									N₁						
7	H₄				D₂				E₁						
8	O₁			L₁	O₁	U₁	P₃	E₁	R₁	A₁	S₁				
9	M		H₄	E₁	U₁				A₁		A₁				
10	M₂	Y₁₀	E₁		T₁						B₃				
11	A₁				A₁						L₁				
12	G₂			K₁₀	S₁	I₁					E₁				
13	E₁					N₁	O₁	I₁	X₁₀						
14	S₁														
15															

Mot compte triple   Lettre compte triple

Mot compte double   Lettre compte double

E₁ L₁ I₁ E₁ M₂ A₁ E₁   32

T₁ N₁   R₁ E₁ E₁ D₂   85

O₁ P₃ Z₁₀ T₁ R₁ A₁ E₁   79

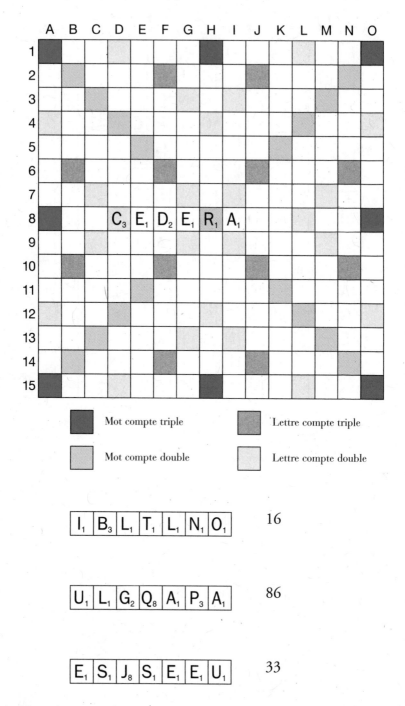

Mot compte triple   Lettre compte triple

Mot compte double   Lettre compte double

I₁ B₃ L₁ T₁ L₁ N₁ O₁   16

U₁ L₁ G₂ Q₈ A₁ P₃ A₁   86

E₁ S₁ J₈ S₁ E₁ E₁ U₁   33

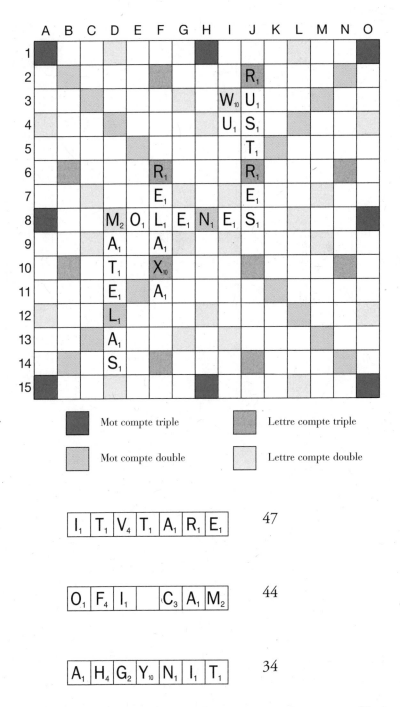

	A	B	C	D	E	F	G	H	I	J	K	L	M	N	O
1															
2										R$_1$					
3								W$_{10}$	U$_1$						
4									U$_1$	S$_1$					
5										T$_1$					
6						R$_1$				R$_1$					
7						E$_1$				E$_1$					
8			M$_2$	O$_1$	L$_1$	E$_1$	N$_1$	E$_1$	S$_1$						
9			A$_1$		A$_1$										
10			T$_1$		X$_{10}$										
11			E$_1$		A$_1$										
12			L$_1$												
13			A$_1$												
14			S$_1$												
15															

Mot compte triple   Lettre compte triple

Mot compte double   Lettre compte double

| I$_1$ | T$_1$ | V$_4$ | T$_1$ | A$_1$ | R$_1$ | E$_1$ | | 47 |

| O$_1$ | F$_4$ | I$_1$ | | C$_3$ | A$_1$ | M$_2$ | | 44 |

| A$_1$ | H$_4$ | G$_2$ | Y$_{10}$ | N$_1$ | I$_1$ | T$_1$ | | 34 |

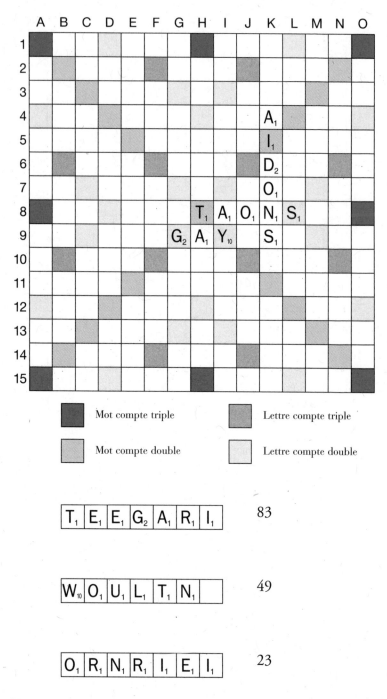

	A	B	C	D	E	F	G	H	I	J	K	L	M	N	O
1															
2															
3									B_3						
4									I_1						
5									D_2						
6						V_4	E_1	L_1	E_1	Z_{10}					
7									T_1						
8					T_1	A_1	N_1	K_{10}	S_1						

Mot compte triple   Lettre compte triple

Mot compte double   Lettre compte double

| F_4 | O_1 | P_3 | L_1 | I_1 | E_1 | N_1 | 34 |

| N_1 | S_1 | I_1 | D_2 | E_1 | T_1 | E_1 | 65 |

| S_1 | H_4 | E_1 | V_4 | E_1 | R_1 | E_1 | 32 |

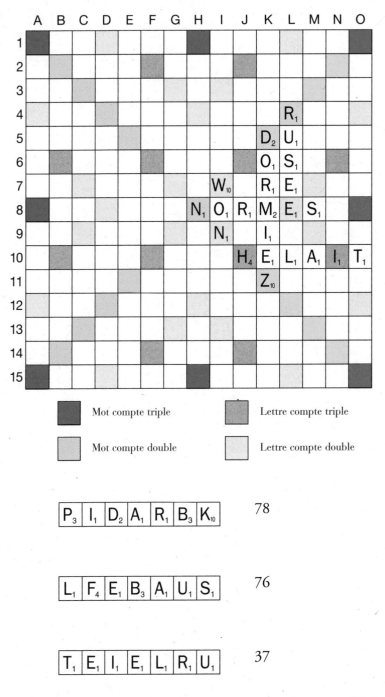

	A	B	C	D	E	F	G	H	I	J	K	L	M	N	O
1															
2															
3															
4											R_1				
5											D_2	U_1			
6											O_1	S_1			
7								W_{10}			R_1	E_1			
8								N_1	O_1	R_1	M_2	E_1	S_1		
9									N_1		I_1				
10									H_4	E_1	L_1	A_1	I_1	T_1	
11										Z_{10}					
12															
13															
14															
15															

Mot compte triple   Lettre compte triple

Mot compte double   Lettre compte double

P_3 I_1 D_2 A_1 R_1 B_3 K_{10} 78

L_1 F_4 E_1 B_3 A_1 U_1 S_1 76

T_1 E_1 I_1 E_1 L_1 R_1 U_1 37

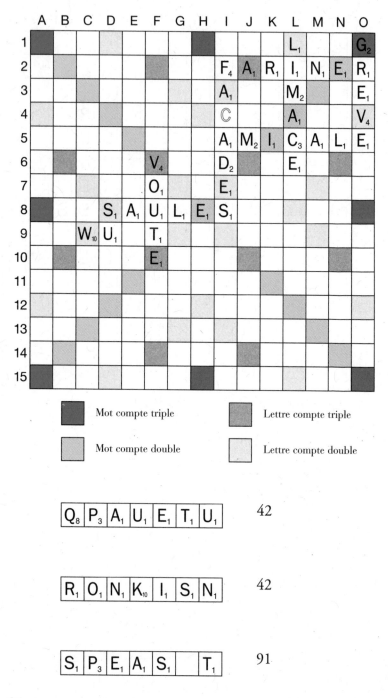

Grille de Scrabble (colonnes A à O, lignes 1 à 15)

Lettres placées sur la grille :
- Ligne 8 : G₂ R₁ I₁ V₄ E₁ (GRIVE)
- Ligne 9 : A₁ (D9)
- Ligne 10 : F₄ A₁ R₁ D₂ E₁ A₁ U₁ (FARDEAU)
- Ligne 11 : D₂ (D11)
- Ligne 12 : E₁ (D12)
- Ligne 13 : E₁ (D13)
- Ligne 14 : M₂ I S₁ E₁ Z₁₀ (MISEZ)

Légende :
- Mot compte triple
- Lettre compte triple
- Mot compte double
- Lettre compte double

I₁ L₁ T₁ I₁ I₁ A₁ M₂   74

U₁ T₁ R₁ E₁ R₁ O₁ N₁   77

P₃ G₂ A₁ L₁ Q₈ I₁ E₁   63

97 ☆

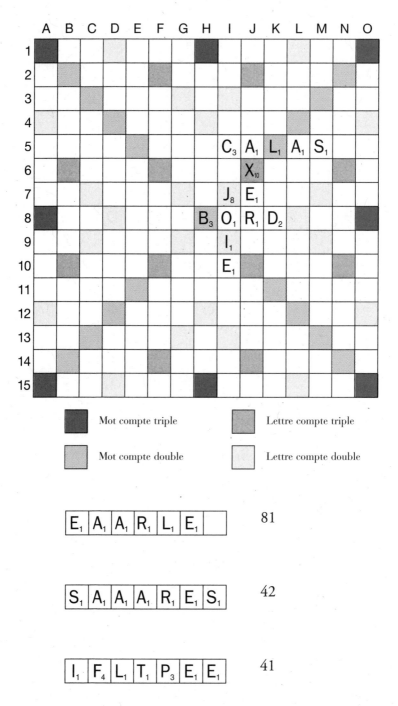

	A	B	C	D	E	F	G	H	I	J	K	L	M	N	O
5									C_3	A_1	L_1	A_1	S_1		
6									X_{10}						
7									J_8	E_1					
8								B_3	O_1	R_1	D_2				
9									I_1						
10									E_1						

Mot compte triple

Lettre compte triple

Mot compte double

Lettre compte double

| E_1 | A_1 | A_1 | R_1 | L_1 | E_1 | | 81

| S_1 | A_1 | A_1 | A_1 | R_1 | E_1 | S_1 | 42

| I_1 | F_4 | L_1 | T_1 | P_3 | E_1 | E_1 | 41

☆ 100

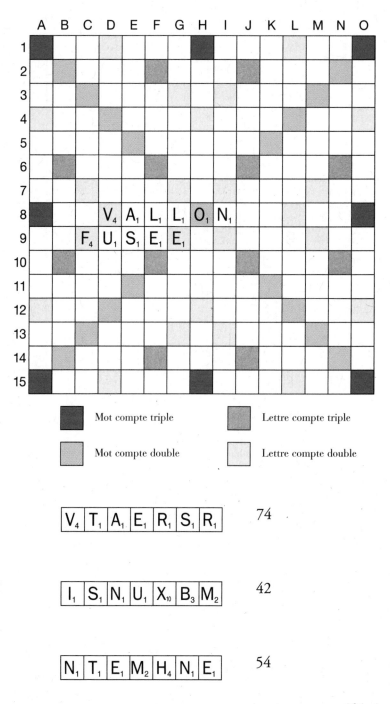

	A	B	C	D	E	F	G	H	I	J	K	L	M	N	O
1															
2															
3															
4															
5															
6															
7															
8				V₄	A₁	L₁	L₁	O₁	N₁						
9			F₄	U₁	S₁	E₁	E₁								
10															
11															
12															
13															
14															
15															

Mot compte triple   Lettre compte triple

Mot compte double   Lettre compte double

V_4 T_1 A_1 E_1 R_1 S_1 R_1 74

I_1 S_1 N_1 U_1 X_{10} B_3 M_2 42

N_1 T_1 E_1 M_2 H_4 N_1 E_1 54

101 ☆

	A	B	C	D	E	F	G	H	I	J	K	L	M	N	O
1															
2															
3															
4															
5															
6															
7															
8				F$_4$	O$_1$	R$_1$	T$_1$	S$_1$							
9			R$_1$	O$_1$	S	E$_1$	A$_1$	U$_1$	X$_{10}$						
10				U$_1$											
11				L$_1$											
12				A$_1$											
13				N$_1$											
14				T$_1$											
15	W$_{10}$	A$_1$	L$_1$	E$_1$											

Mot compte triple   Lettre compte triple

Mot compte double   Lettre compte double

S$_1$ E$_1$ H$_4$ A$_1$ G$_2$ T$_1$ S$_1$ 31

I$_1$ L$_1$ E$_1$ U$_1$ Z$_{10}$ O$_1$ P$_3$ 74

C$_3$ E$_1$ A$_1$ E$_1$ E$_1$ S$_1$ R$_1$ 90

☆ 102

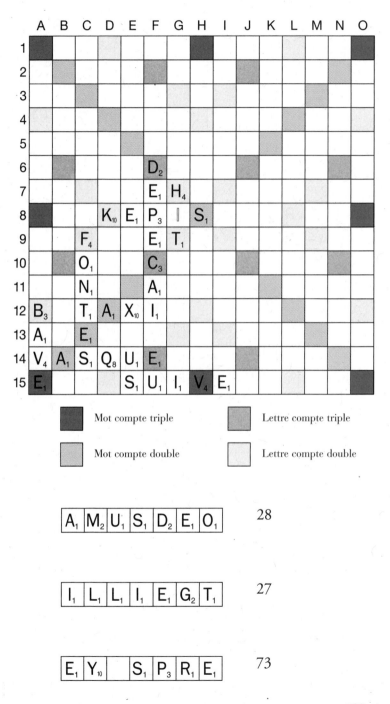

	A	B	C	D	E	F	G	H	I	J	K	L	M	N	O
1															
2															
3															
4															
5															
6						D₂									
7						E₁	H₄								
8				K₁₀	E₁	P₃	I	S₁							
9			F₄			E₁	T₁								
10			O₁			C₃									
11			N₁			A₁									
12	B₃		T₁	A₁	X₁₀	I₁									
13	A₁		E₁												
14	V₄	A₁	S₁	Q₈	U₁	E₁									
15	E₁				S₁	U₁	I₁	V₄	E₁						

- ■ Mot compte triple
- ■ Lettre compte triple
- ■ Mot compte double
- ■ Lettre compte double

| A₁ M₂ U₁ S₁ D₂ E₁ O₁ | 28 |

| I₁ L₁ L₁ I₁ E₁ G₂ T₁ | 27 |

| E₁ Y₁₀   S₁ P₃ R₁ E₁ | 73 |

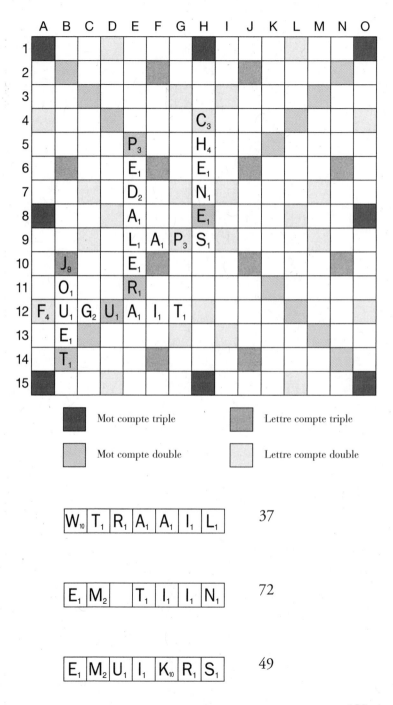

	A	B	C	D	E	F	G	H	I	J	K	L	M	N	O
1															
2															
3															
4								C₃							
5					P₃			H₄							
6					E₁			E₁							
7					D₂			N₁							
8					A₁			E₁							
9					L₁	A₁	P₃	S₁							
10		J₈			E₁										
11		O₁			R₁										
12	F₄	U₁	G₂	U₁	A₁	I₁	T₁								
13		E₁													
14		T₁													
15															

Mot compte triple   Lettre compte triple

Mot compte double   Lettre compte double

W₁₀ T₁ R₁ A₁ A₁ I₁ L₁   37

E₁ M₂   T₁ I₁ I₁ N₁   72

E₁ M₂ U₁ I₁ K₁₀ R₁ S₁   49

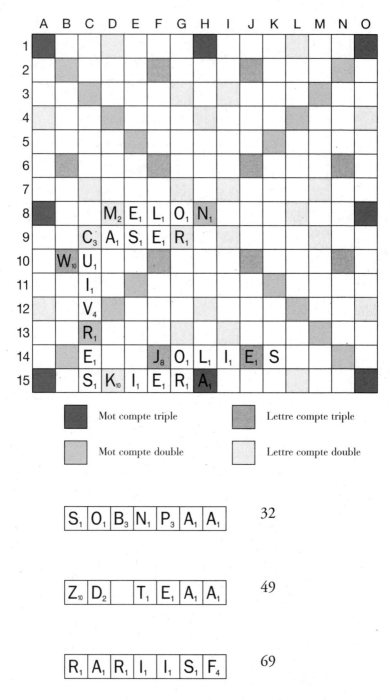

Mot compte triple   Lettre compte triple

Mot compte double   Lettre compte double

| S₁ | O₁ | B₃ | N₁ | P₃ | A₁ | A₁ | 32

| Z₁₀ | D₂ | | T₁ | E₁ | A₁ | A₁ | 49

| R₁ | A₁ | R₁ | I₁ | I₁ | S₁ | F₄ | 69

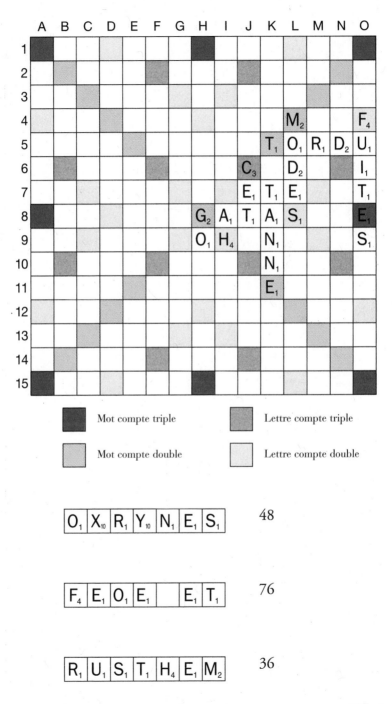

	A	B	C	D	E	F	G	H	I	J	K	L	M	N	O
1															
2															
3															
4												M₂			F₄
5										T₁	O₁	R₁	D₂		U₁
6									C₃		D₂				I₁
7								E₁	T₁	E₁				T₁
8							G₂	A₁	T₁	A₁	S₁			E₁
9							O₁	H₄		N₁				S₁
10										N₁				
11										E₁				
12															
13															
14															
15															

Mot compte triple

Lettre compte triple

Mot compte double

Lettre compte double

O₁ X₁₀ R₁ Y₁₀ N₁ E₁ S₁   48

F₄ E₁ O₁ E₁ ☐ E₁ T₁   76

R₁ U₁ S₁ T₁ H₄ E₁ M₂   36

107 ☆

	A	B	C	D	E	F	G	H	I	J	K	L	M	N	O
1										M_2					
2						V_4			D_2	A_1					
3						L_1			O_1	N_1					
4					C_3	A_1			R_1	I_1					
5					O_1	N_1			M_2	E_1					
6					U_1			N_1	E_1	Z_{10}					
7					L_1				N_1						
8				C_3	A_1	B_3	L_1	A_1	T_1						
9					I_1										
10		Q_8	U_1	O_1	T_1	A_1									
11															
12															
13															
14															
15															

Mot compte triple Lettre compte triple

Mot compte double Lettre compte double

I_1 N_1 P_3 L_1 K_{10} L_1 N_1 48

S_1 D_2 I_1 E_1 S_1 S_1 U_1 83

I_1 R_1 O_1 I_1 E_1 U_1 64

Mot compte triple   Lettre compte triple

Mot compte double   Lettre compte double

| M₂ | L₁ | E₁ | I₁ | A₁ | N₁ | S₁ | 69 |

| S₁ | I₁ | U₁ | D₂ | E₁ | X₁₀ | I₁ | 39 |

| E₁ | A₁ | D₂ | T₁ | N₁ | I₁ | E₁ | 72 |

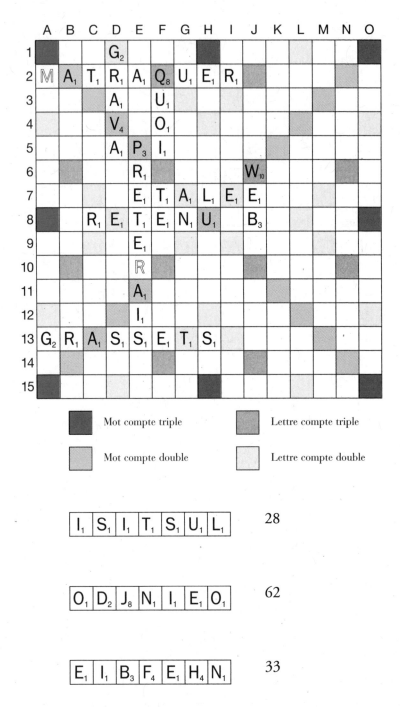

	A	B	C	D	E	F	G	H	I	J	K	L	M	N	O
1				G₂											
2	M	A₁	T₁	R₁	A₁	Q₈	U₁	E₁	R₁						
3				A₁		U₁									
4				V₄		O₁									
5				A₁	P₃	I₁									
6					R₁					W₁₀					
7					E₁	T₁	A₁	L₁	E₁	E₁					
8			R₁	E₁	T₁	E₁	N₁	U₁		B₃					
9					E₁										
10					R										
11					A₁										
12					I₁										
13	G₂	R₁	A₁	S₁	S₁	E₁	T₁	S₁							
14															
15															

Mot compte triple   Lettre compte triple

Mot compte double   Lettre compte double

I₁ S₁ I₁ T₁ S₁ U₁ L₁   28

O₁ D₂ J₈ N₁ I₁ E₁ O₁   62

E₁ I₁ B₃ F₄ E₁ H₄ N₁   33

☆ 110

	A	B	C	D	E	F	G	H	I	J	K	L	M	N	O
1															
2															
3															
4															
5															
6			A_1												
7			H_4	E_1											
8				C_3	R_1	A_1	I_1	E_1	S_1						
9				L_1											
10		J_8	O_1	U_1	R_1										
11				S_1											
12	K_{10}			A_1											
13	E_1			I_1											
14	P_3	E_1	N_1	S_1	A_1				L_1	I_1	M_2	I_1	T_1	E_1	E_1
15	I			S_1	A_1	Q_8	U_1	E_1							

E_1 N_1 D_2 U_1 X_{10} A_1 L_1 73

R_1 T_1 I_1 T_1 O_1 S_1 L_1 34

W_{10} E_1 F_4 M_2 U_1 A_1 I_1 36

113 ☆

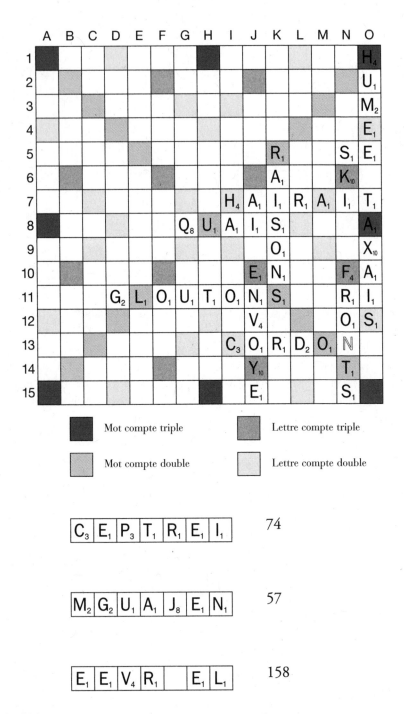

	A	B	C	D	E	F	G	H	I	J	K	L	M	N	O
1															H₄
2															U₁
3															M₂
4															E₁
5										R₁				S₁	E₁
6										A₁				K₁₀	
7								H₄	A₁	I₁	R₁	A₁	I₁	T₁	
8						Q₈	U₁	A₁	I₁	S₁				A₁	
9										O₁				X₁₀	
10										E₁	N₁			F₄	A₁
11			G₂	L₁	O₁	U₁	T₁	O₁	N₁	S₁			R₁	I₁	
12									V₄				O₁	S₁	
13								C₃	O₁	R₁	D₂	O₁	N		
14									Y₁₀				T₁		
15									E₁				S₁		

Mot compte triple   Lettre compte triple

Mot compte double   Lettre compte double

C₃ E₁ P₃ T₁ R₁ E₁ I₁   74

M₂ G₂ U₁ A₁ J₈ E₁ N₁   57

E₁ E₁ V₄ R₁   E₁ L₁   158

	A	B	C	D	E	F	G	H	I	J	K	L	M	N	O
1			J₈	E₁	U₁	N₁			S₁	E₁	M₂	E₁			
2			U₁							X₁₀					
3			G₂						E₁	P₃	E₁	R₁	O₁	N₁	
4	C₃	R₁	E₁	V₄	E₁			F₄		R₁					
5			R₁		T₁	I₁	M₂	I₁	D₂	E	S₁				
6			A₁					L₁		S₁					
7								E₁							
8								T₁							
9															
10															
11															
12															
13															
14															
15															

Mot compte triple   Lettre compte triple

Mot compte double   Lettre compte double

| T₁ | S₁ | R₁ | A₁ | I₁ | S₁ | N₁ | 671 |

| O₁ | H₄ | | U₁ | E₁ | S₁ | E₁ | 86 |

| P₃ | O₁ | E₁ | K₁₀ | N₁ | D₂ | I₁ | 66 |

115 ☆

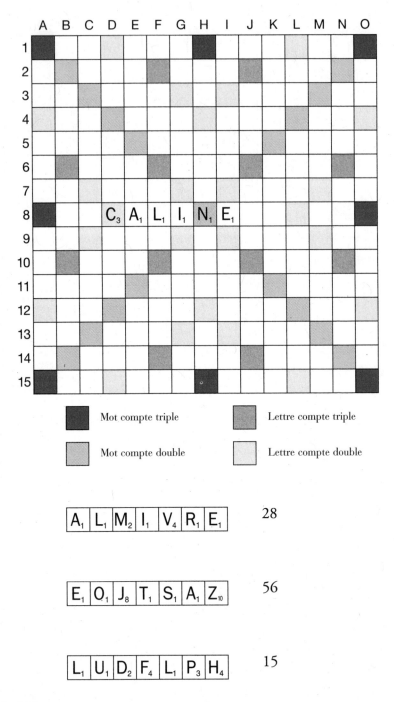

☆ 116

Solutions

7. FIXENT B1 40
QUE 9C 36
OKA 6E 32

8. JEAN K5 44
MORBIDES 9A 64
MAXI M3 44

9. THÉS 8C 25
LISTÉES 9B 68
JINGLE(S) 9B 74

10. NOYÉ F12 33
BAISE O8 34
LALL(A)T(I)ON D7 58

11. WON 14F 32
ACCOSTER B8 86
JE 9I 36

12. SKI L11 21
PIQUA M11 28
EH N14 37

13. TAXI 9A 52
BAVE 1L 36
TENUE 8K 39

14. NOIERAIT 15A 122
ÉDENS F2 37
JARRETÉE E4 35

15. ENVIERIEZ 8G 60
HIE 9G 28
PANERAIS K5 90

16. (V)OLEUSE 5C 65
ZÉE J2 32
ÉLITE 8K 23

17. CUBE O1 31
ÉTONNAI 9F 70
VITAL M7 22

18. PAF 10D 29
SURFEREZ H8 63
CEN(T)TRAIT 5E 86

19. XI E10 37
RI(C)ANEUSE H1 77
POURQUOI F2 23

20. ADORAIT 12D 77
WOLOF D8 34
FROID H11 35

21. (B)ALAFRAI 1H 140
ANNÉES 12G 25
DOPENT H10 36

22. GÊNERAIT 6H 78
HÔ(T)ELIER C1 72
AZOTE J5 34

23. S(A)UVE 15D 38
MATINAL 5E 88
JOIE 10F 54

24. BRIDÉES 7F 85
PAIX K5 30
ÉCOLIERS B8 74

25. ÔTE 7G 21
ÉCHALAS L3 94
VOTERAI E5 40

26. REFUSER E5 46
TAXE C7 30
ZONA B6 35

27. (M)OISIES L2 85
RIVAUX E8 36
REMUERAIENT 8E 39

28. DÉPOSÉE(S) 5E 90
HÈLE H12 42
DÉA(M)BULA 1H 93

29. RALLONGE H1 27
JOVIAL 4C 32
F(A)SSENT 15D 96

30. KA 6F 37
HÂTERAIS O1 86
FUYA(N)TES 12A 74

31. AJOURERA E5 62
HUE D12 24
CI(M)ENTS N4 72

32. GARNIRA 11B 31
VALSERA K5 99
CLONANT 7G 77

33. AMPOULE D7 84
QAT E5 34
FINALITÉS K3 48

34. TELEX 9E 41
PARADER E5 40
MACÉRÉE(S) D8 70

35. KIR 10J 65
DÉÇUES O6 36
SEMBLENT A7 86

36. AISSELLES 8A 27
(P)ROMENER E4 94
AJOUTE 4G 42

37. ALUNS K4 39
PERDURAIENT E2 28
(D)ÉJEUNAI 12C 78

38. DÉJÀ 9A 31
ACHETÉS 9H 68
SIEUR 9F 14

39. TENTEZ 10I 49
CRATÈRE M2 99
NAÎTRO(N)S H8 78

40. HÊTRE 9I 36
JOUIS L4 47
DÉMASQUERAIENT 8B 69

41. Q(U)AIS 11D 31
PARENTES 11E 81
ENLEVANT O1 83

42. PENSEURS O8 30
BASTION 14A 85
DÉFIE H11 38

43. GALAS 15A 28
SENS K9 32
E(N)JOLIVE H1 54

44. (E)NCHANTE H1 36
MOBILISE 8A 86
RANCE I3 19

45. HOU H13 25
TAXÈRENT 13F 86
ÉQ(U)IDÉ 10I 31

46. RYE F9 32
(R)OUSSIE O3 80
MALMENA 7B 66

47. FRÔLIEZ K1 104
CROQUE A9 48
TANT 12J 19

48. DÉVOUAI 12C 76
KITE 12H 38
PIGEONS L2 83

49. CESSERA K6 49
TIQUES D8 28
GERBAI(S) K2 81

50. DÉCORA O6 27
ENS(U)IVIE 14A 92
RAYIEZ 12C 68

51. EMBUA H11 32
ASSUREUR 5H 66
ÉGAYE H11 53

52. CHUTE K4 29
(P)RESSANTE O1 122
AVILIE O6 27

53. YODLÂT 5F 32
MITEUSES D8 70
KANAS K1 41

54. JAR 10J 53
ENZYME 14A 54
VERSEUSE H1 86

55. CREUX 4K 52
DOMINANT 8A 90
BRAVES 15D 42

56. ARRIVEZ B6 89
TAISE 15A 50
CROYANTES F7 40

57. OI(S)ELETS K1 84
KHANS 10F 53
RENVERSANTES 8A 53

58. CREUSONS 4F 90
PRÉVINT 5E 48
FI(C)ELLE A8 95

59. ABAI(S)SAIT 15A 140
PLAQUERA B7 34
SOUCHE 15F 33

60. RONGEURS 8H 27
RÉALISE M7 75
WAD M7 32

61. ENDURE(R)AS 11E 86
ZONÉE N10 28
WALÉS 12A 59

62. LAVABOS 3G 34
PRUNE L1 30
NIDIFIER H8 90

63. AYANT 13F 64
ÉPONGE(A)S A8 140
VOÛTÉE 7G 28

64. NOYÉ 9A 44
ÉDUQUERA J3 84
EMPESTEZ K4 130

65. SOINS 9J 19
PR(O)FILER H8 89
KÉA 6J 32

66. ÉVACUÉE L8 86
HUMERONS 8H 39
DOPAI A4 45

67. EXCLUS 6I 39
ZINC H1 52
GANTAIS 6A 75

68. JAMBE J2 33
RELIERA(S) 1H 130
YINS O1 84

69. XÉN(O)N 6J 68
PÉTÈRENT 4H 78
YOGAS 12A 65

70. HOMES 12A 46
ADIPE(U)SE H1 89
TIRELIRES 8A 27

71. MUERA A11 37
VÉNI(T)IEN 11D 94
SELLEZ 13D 36

72. TRENTA(I)NE O1 122
WAX 9C 45
JASE E5 22

73. VIOL H1 31
BADINER A3 85
TROPICAL 3D 65

74. AVERTIE 10I 72
EXTASE 13B 60
PARE(R)AIT C7 92

75. IWANS H11 72
ROSERAIE H1 80
PRATIQUE 8A 54

76. VOYOU 14D 37
BAISES 10A 46
DÉDOUBLE 15A 89

77. GRAVAIS E3 22
MANIE 9C 23
LYSE J5 33

78. KRI(L)L 13I 60
GÂTERONT H8 80
AY 1N 35

79. DÉESSE 7D 28
VRAQUIER 12A 73
ESPÉRÉE J7 74

80. MAUDIT 10E 23
EXALTÉES 12A 86
P(A)TIENTAS 5E 98

81. DÉCRETS 7H 68
EX 9F 42
TABLONS 9H 66

82. SAXE 8L 58
SERTIES K5 34
A(B)YMES H10 75

83. JUTE 10F 27
SAVONNEZ 8A 63
FOUTUS 9D 16

84. NÉE D13 17
DÉMONTRAIEN(T) A4 45
REBOISÉE H1 83

85. HOQUET A10 48
FUM(I)STE 6G 72
PSAUME H10 38

86. PLIONS 11G 28
R(A)FLES H10 48
ÉTUDIES D1 82

87. ATTAR(D)ÉE A8 122
JEU G13 39
REDÉMARRE D4 94

88. ABOYÉ 6G 25
MOLES(T)ER L4 87
FÉLICITA 4F 78

89. MÊLÉE 12H 32
RETENDIE(Z) H7 85
TOPAZE B2 79

90. BILLET E4 16
PLAQUAGE E1 86
JÉSUS 9C 33

91. VÊTIRA C9 47
COIF(F)A 1G 44
ÉGAYANT 11D 34

92. ÉTAGERAIT H7 83
WON(S) 10F 49
ORNER 7E 23

93. ÎLIEN 12C 30
VÊLENT 10J 36
SOLEX H11 45

94. FILEZ J2 34
DÉVIANTES F4 65
HIVERS 4H 32

95. BATIK O8 78
FABULES G3 76
LITEREZ 11E 37

96. QUÊTE 10B 42
GRÈVERIONS O1 42
ASPE(C)TS 11E 91

97. LIMITAI 9F 74
RETOURNE H1 77
ÉQUIPAGE H8 63

98. PLIANTES E5 90
TONNERAI D5 66
NAYS F8 33

99. BALA(F)RÉE H8 81
SABORDERAS 8F 42
FILET 4J 41

100. RÉÉCRIRA 12E 76
YOLES 13I 48
ENTRONS 2G 79

101. TRAVERSAS E1 74
SIX J8 42
VALLONNEMENT 8D 54

102. HAUTES 10B 31
LITEZ 14B 74
LACÉRÉES 11D 90

103. EAU 11E 28
LITIGE B6 27
(T)YPÉES 14I 73

104. JOUTES J2 46
DOMPT(E)NT B7 84
THORAX K4 36

105. WALI F2 37
MIT(A)INE I1 72
KSI 15A 49

106. PANAMAS D4 32
TA(R)DEZ 15J 49
FRIRAIS I2 69

107. ONYX L10 48
ÉTOF(F)ÉE 12F 76
GOURMET H8 36

108. KRILL 4H 48
ASSIDUES H8 83
O(N)IRIQUE B5 64

109. MALIENS I7 69
DIEUX D10 39
ENDETTAI 12A 72

110. SILS 9G 28
JOIE 1H 62
FEIGNE A10 33

111. MUREX L4 30
MIROI(T)EZ 5F 84
VOTERAI H8 36

112. CÉDERA 15A 41
LATENTES K5 101
PÉTEZ L4 81

113. EUX 15M 73
SIROTA F10 34
FUMA A7 36

114. CRÉPITER 5D 74
JASE 15L 57
RELEVE(U)SE 15G 158

115. RAJEUNISSEMENTS
1A 671
CHO(Q)UÉES A4 86
KÉPI B6 66

116. RIVALE 7G 28
JASEZ 7I 56
PIF G7 15

Les indices

Vous trouverez dans cette section les indices de chacune des grilles. Ils sont basés soit sur les cases chères, soit sur le nombre de lettres du mot à placer, soit sur le nombre de mots parallèles formés, etc. Les abréviations suivantes seront utilisées :

LCD : lettre compte double

MCD : mot compte double

LCT : lettre compte triple

MCT : mot compte triple

MC : mot complet — C'est-à-dire formé avec les 7 lettres du chevalet.

9+ : mot de 9 lettres ou plus

PP(n) : placement parallèle — C'est-à-dire qu'un mot est placé parallèlement à un autre dans la grille. Cet indice n'est donné que lorsqu'il y a au moins 2 mots parallèles formés, *(n)* correspondant à leur nombre (ex. PP3).

EM : extension de mot — C'est-à-dire que les lettres placées dans la grille allongent par le début et/ou par la fin un mot qui s'y trouve déjà. Attention : si une case chère est couverte par une lettre blanche, l'indice ne sera pas donné.

Indices fournis par le score

Le score peut vous en révéler beaucoup sur mon jeu. Alors si vous avez de la difficulté à égaler ou à battre mon score, demandez-vous comment il peut vous mener sur une piste. Par de simples calculs, décomposez mes points pour déterminer si le mot est complet, compte double, compte triple… Par exemple, si le score est divisible par 3, il s'agit probablement d'un MCT (incluant les cases LCD), et en le divisant par 3, vous obtenez le score du mot sans la case MCT. Si le total n'est pas divisible par 2, vous savez que la réponse n'est pas un MCD sans mots parallèles. Et ainsi de suite.

Par ailleurs, si le score est plus élevé que 60 points, vous avez probablement affaire à un mot complet (mais pas toujours !). L'emplacement d'un MC peut se déduire en soustrayant 50 points de mon score et en analysant le total. S'il est divisible par 2, il y a de fortes chances qu'une lettre du mot soit placée sur une case MCD. Quant aux mots non complets de plus de 50 points, ils sont en général formés avec une ou plusieurs lettres payantes (H, J, K, Q, W…) placées sur des cases chères. Bien sûr, il y a bien d'autres calculs à faire. À vous maintenant de vous amuser à les déduire.

Mots parallèles

À force de jouer au Scrabble, on en vient à développer une stratégie qui rend le jeu de plus en plus passionnant. Les mots parallèles font partie de cette stratégie. Ils vous aideront à améliorer votre moyenne d'environ 50 points par partie.

D'après Joe Edley, seul joueur à avoir été couronné trois fois champion du tournoi national américain de Scrabble et auteur des recueils originaux de Scrabble, le joueur atteint son sommet quand il maîtrise l'art de former des mots parallèles. C'est pourquoi, lors des cours de Scrabble qu'il donne depuis de nombreuses années, il passe des heures entières à faire apprendre la liste des mots de deux lettres et de leurs rallonges à ses élèves. Il les aide ensuite à « lire » la grille, leur apprenant à chercher les emplacements où il est possible de former plusieurs mots parallèles ou un mot de plus de neuf lettres, à trouver des trucs pour former des mots complets selon la combinaison de lettres d'un chevalet, etc.

À la lumière de tout cela, je vous encourage encore fortement à consulter la liste des mots de deux lettres et à la mémoriser. Et aussi à lire ce qui suit.

Mots complets

Les joueurs novices seront peut-être étonnés d'apprendre qu'il n'est pas si difficile de trouver des mots complets ou des mots de plus de sept lettres en fonction du chevalet et de la partie en cours. Un des trucs pour y parvenir est de penser aux préfixes et aux suffixes de la langue française.

Par exemple, si un chevalet comporte les lettres C N I T A O S, on voit tout de suite la possibilité de faire un mot qui finit en TION (ACTIONS, l'aviez-vous vu ?). Et attaché à RE dans la grille, le mot devient RÉACTIONS.

Pour vous aider à améliorer votre capacité d'analyse d'un chevalet, voici en terminant quelques préfixes et suffixes assez courants.

Préfixes : AÉRO-, ANTÉ-, ANTI-, ARCHI-, AUTO-, CO-, CON-, DÉ(S)-, DIS-, EN-/EM-, IN-/IM-, EX-, HYPER-, INTRA-, PARA-, POLY-, POST-, PRÉ-, PRO-, R(E)-/RÉ-, SEMI-, SUPER-, TRANS-, UNI-, ULTRA-.

Suffixes : -ADE, -AGE, -ANCE, -EUR/-EUSE, -IBLE, -IF, -IS, -IER/-IÈRE, -ISTE, -MENT, -TION. SANS OUBLIER TOUTES LES TERMINAISONS POSSIBLES DES VERBES : -A, -AS, -AI, -AIS, -AIENT, -AIT, -ÂT, -EZ, -ENT, -ONS, -IONS, ETC.

7. Haut : LCT-MCD
Centre : LCD-PP2
Bas : LCT

8. Haut : MCD-PP3
Centre : LCD-LCD-MC
Bas : MCD-PP3

9. Haut : LCD
Centre : LCD-LCD-MC
Bas : LCD-LCD-MC

10. Haut : LCT
Centre : LCD-MCT-PP3
Bas : LCD-MC-9+

11. Haut : LCT
Centre : LCT-MCD-MC
Bas : LCD

12. Haut : —
Centre : MCD
Bas : MCD-PP2

13. Haut : LCD-PP2
Centre : LCD-MCT
Bas : LCD-MCT-PP4

14. Haut : MCT-MCT-MC
Centre : LCT-LCT-PP3
Bas : MCD-EM-PP2

15. Haut : MCT-EM-9+
Centre : LCD-LCD-PP3
Bas : MCD-MCD-MC

16. Haut : MCD-MC
Centre : LCT
Bas : LCD-MCT-PP2

17. Haut : LCD-MCT
Centre : LCD-LCD-MC-PP5
Bas : LCD-LCD

18. Haut : LCT
Centre : LCD-MCT-EM
Bas : MCD-MCD-MC

19. Haut : MCD-PP2
Centre : LCD-MCT-MC-9+
Bas : LCT-EM

20. Haut : LCD-MCD-MC
Centre : MCD
Bas : LCD-MCT

21. Haut : MCT-MCT-MC
Centre : LCD-MCD-PP5
Bas : LCD-MCT

22. Haut : LCT-LCT-MC-PP3
Centre : LCD-MCD-MC
Bas : LCT

23. Haut : LCD-MCT-PP3
Centre : MCD-MCD-MC
Bas : LCT-PP2

24. Haut : LCD-LCD-MC-PP4
Centre : MCD
Bas : LCT-MCD-MC

25. Haut : LCD-LCD-PP2
Centre : LCD-MCD-MC-PP2
Bas : MCD-MCD

26. Haut : MCD-MCD-EM
Centre : LCD-PP2
Bas : LCT

27. Haut : LCD-MCD-MC-PP4
Centre : MCD-EM
Bas : LCD-MCT-EM-9+

28. Haut : MCD-MCD-MC
Centre : LCD-MCT
Bas : LCD-MCT-MC-PP2

29. Haut : MCT-EM
Centre : MCD
Bas : LCD-MCT-MC

30. Haut : LCT
Centre : LCD-MCT-MC
Bas : LCD-LCD-MC

31. Haut : MCD-MCD
Centre : MCD-PP2
Bas : LCT-MC

32. Haut : MCD-PP2
Centre : MCD-MCD-MC
Bas : LCD-LCD-LCD-MC-PP4

33. Haut : LCD-MCD-MC
Centre : MCD
Bas : MCD-MCD-EM-9+

34. Haut : LCD-LCD-PP4
Centre : MCD-MCD-EM
Bas : MCD-MC

35. Haut : LCT-PP2
Centre : MCT
Bas : LCD-MCT-MC

36. Haut : MCT-EM-9+
Centre : MCD-MCD-MC-PP4
Bas : LCD-MCD

37. Haut : MCD-PP3
Centre : MCD-EM-9+
Bas : MCD-MC

38. Haut : LCD
Centre : LCD-LCD-MC
Bas : LCD-LCD-PP3

39. Haut : LCT-LCT
Centre : LCD-MCD-MC-PP4
Bas : LCD-MCT-MC

40. Haut : LCD-LCD-PP3
Centre : LCD-MCD-PP2
Bas : LCD-MCT-EM-9+

LCD = Lettre compte double ; MCD = Mot compte double ; LCT = Lettre compte triple ;
MCT = Mot compte triple ; MC = Mot complet ; EM = Extension de mot ;
PP(n) = Placement parallèle de (n) lettres ; 9+ = Mot de 9 lettres ou plus

41. Haut : MCD
Centre : MCD-MC
Bas : LCD-MCT-MC

42. Haut : MCT-EM
Centre : LCT-MCD-MC
Bas : LCD-MCT

43. Haut : LCD-MCT-PP2
Centre : MCD-PP3
Bas : LCD-MCT-EM

44. Haut : MCT-EM
Centre : LCD-MCT-MC
Bas : LCD-LCD-PP3

45. Haut : MCT-PP2
Centre : LCD-MCD-MC
Bas : LCT-LCT

46. Haut : LCT
Centre : LCD-MCT-MC
Bas : LCD-LCD-MC

47. Haut : MCD-MC-PP2
Centre : MCT
Bas : MCD-PP2

48. Haut : LCD-MCD-MC
Centre : LCD-PP2
Bas : LCD-MCD-MC

49. Haut : MCD-PP4
Centre : LCD-MCD
Bas : MCD-MC

50. Haut : MCT
Centre : LCT-MCD-MC
Bas : LCD-MCD

51. Haut : LCD-MCT
Centre : MCD-MC
Bas : LCD-MCT

52. Haut : MCD
Centre : MCT-MCT-MC
Bas : MCT

53. Haut : MCD
Centre : MCD-MC
Bas : MCD-PP4

54. Haut : LCT-PP2
Centre : LCT-MCD
Bas : LCD-MCT-MC

55. Haut : LCD-MCD
Centre : LCD-MCT-MC-PP2
Bas : LCD-MCT

56. Haut : LCT-LCT-MC
Centre : LCD-MCT-PP5
Bas : LCT-9+

57. Haut : MCD-MC-PP2
Centre : LCT-LCT
Bas : LCD-MCT-EM-9+

58. Haut : LCD-MCD-MC
Centre : MCD-MCD
Bas : LCD-MCT-MC

59. Haut : MCT-MCT-MC-9+
Centre : MCD
Bas : MCT

60. Haut : MCT-EM
Centre : LCD-LCD-MCD-MC
Bas : LCD-LCD

61. Haut : MCD-MC-PP2-9+
Centre : MCD
Bas : LCD-MCD

62. Haut : LCD-LCD-MCD
Centre : LCD-MCD-PP3
Bas : LCD-MCT-MC

63. Haut : LCD-LCD-PP2
Centre : MCT-MCT-MC
Bas : LCD-LCD-PP3

64. Haut : LCD
Centre : LCT-LCT-MC
Bas : MCD-MCD-MC

65. Haut : LCD-PP2
Centre : LCD-MCT-MC
Bas : LCT

66. Haut : LCD-MCD-MC
Centre : LCD-MCT-EM
Bas : LCD-MCT

67. Haut : LCT-LCT
Centre : MCT-PP2
Bas : LCT-LCT-MC

68. Haut : LCT-LCT
Centre : LCD-MCT-MCT-MC-PP3
Bas : MCT-PP3

69. Haut : LCT-LCT-PP2
Centre : LCD-MCD-MC-PP3
Bas : LCD-MCD

70. Haut : LCD-MCD-PP2
Centre : LCD-MCT-MC
Bas : MCT-EM-9+

71. Haut : LCD-MCT-PP5
Centre : MCD-MCD-MC
Bas : LCD-LCD

72. Haut : MCT-MCT-MC
Centre : LCD-PP2
Bas : MCD

73. Haut : LCD-MCT-PP2
Centre : LCD-MCT-MC
Bas : LCD-MC

74. Haut : LCT-LCT-MC
Centre : LCD-MCD
Bas : LCD-MCD-PP4

75. Haut : LCD-MCT
Centre : LCD-MCT-MC
Bas : LCD-MCT-EM

76. Haut : LCT
Centre : LCT-LCT-PP5
Bas : LCD-MCT-MC

77. Haut : MCD
Centre : LCD-LCD-PP4
Bas : LCT

78. Haut : LCD-MCD
Centre : LCD-MCT-MC
Bas : MCT

79. Haut : LCD-LCD-PP3
Centre : LCD-LCD-MC
Bas : LCT-MC

80. Haut : LCT-LCT
Centre : LCD-LCD-MCD-MC
Bas : MCD-MCD-MC-9+

81. Haut : LCD-LCD-MC-PP2
Centre : LCD
Bas : LCD-LCD-MC-PP2

82. Haut : LCD-MCT-PP2
Centre : MCD-MCD-PP2
Bas : LCD-MCT

83. Haut : LCT
Centre : LCD-MCT-EM
Bas : LCD-LCD-PP2

84. Haut : LCD-PP2
Centre : LCD-MCT-EM-9+
Bas : LCD-MCT-MC

85. Haut : MCT
Centre : MC-PP3
Bas : LCD-MCT

86. Haut : MCD
Centre : LCD-MCT
Bas : LCD-MCD-MC

87. Haut : LCD-MCT-MCT-MC
Centre : LCD-PP3
Bas : MCD-MCD-EM-9+

88. Haut : PP2
Centre : LCD-MCD-MC-PP4
Bas : LCD-MCD-MC

89. Haut : LCD-MCD-PP2
Centre : LCD-MCT-MC-9+
Bas : LCT-MCD

90. Haut : MCD
Centre : MCD-MC
Bas : LCD-LCD-PP4

91. Haut : LCD-MCD-PP6
Centre : LCD-MCT
Bas : MCD

92. Haut : LCD-MCT-MC-EM-9+
Centre : LCT-PP3
Bas : LCD-LCD-PP2

93. Haut : MCD-PP3
Centre : LCT-LCT-PP3
Bas : LCD-MCT

94. Haut : LCT-PP3
Centre : LCT-MC-9+
Bas : LCD-MCD

95. Haut : LCD-MCT
Centre : LCD-LCD-LCD-MC
Bas : MCD

96. Haut : LCT-PP3
Centre : MCT-EM-9+
Bas : MCD-MCD-MC

97. Haut : LCD-LCD-MC-PP3
Centre : LCD-MCT-MC
Bas : LCD-MCT

98. Haut : MCD-MCD-MC
Centre : MCD-MC
Bas : LCT

99. Haut : MCT-MC-PP2
Centre : LCD-MCT-EM-9+
Bas : MCD-PP4

100. Haut : LCD-MCD-MC
Centre : LCD-MCD
Bas : LCT-MC

101. Haut : MCD-MC-EM-9+
Centre : LCT
Bas : LCD-MCT-EM-9+

102. Haut : LCT-LCT-PP4
Centre : LCT-MCD-PP2
Bas : MCD-MCD-MC

103. Haut : MCD
Centre : LCT-LCT-PP3
Bas : LCT-MCD

104. Haut : LCT-LCT
Centre : LCT-MCD-MC
Bas : MCD

105. Haut : LCT
Centre : LCD-LCD-MC-PP4
Bas : MCT

106. Haut : MCD-EM
Centre : MCT-PP2
Bas : LCD-LCD-MC

107. Haut : MCD-PP2
Centre : LCD-MCD-MC
Bas : LCD-MCT-EM

108. Haut : LCD-MCD
Centre : LCD-MCT-MC
Bas : MC

109. Haut : LCD-LCD-LCD-MC
Centre : MCD-PP3
Bas : LCD-LCD-MC

110. Haut : LCD-LCD-PP2
Centre : MCT-PP2
Bas : LCD-MCT

LCD = Lettre compte double ; MCD = Mot compte double ; LCT = Lettre compte triple ;
MCT = Mot compte triple ; MC = Mot complet ; EM = Extension de mot ;
PP(n) = Placement parallèle de (n) lettres ; 9+ = Mot de 9 lettres ou plus

111. Haut : MCD
Centre : MCD-MC
Bas : LCD-MCT

112. Haut : LCD-MCT
Centre : MCD-MCD-MC-PP5
Bas : LCD-MCD

113. Haut : MCT-PP3
Centre : LCT-LCT
Bas : MCT

114. Haut : MCD-MC
Centre : LCD-MCT
Bas : LCD-MCT-MCT-MC-9+

115. Haut : MCT-MCT-MCT-MC-EM-9+
Centre : MCT-MC
Bas : LCT

116. Haut : LCD-LCD-PP3
Centre : LCD-LCD
Bas : LCD-LCD

LCD = Lettre compte double ; MCD = Mot compte double ; LCT = Lettre compte triple ;
MCT = Mot compte triple ; MC = Mot complet ; EM = Extension de mot ;
PP(n) = Placement parallèle de (n) lettres ; 9+ = Mot de 9 lettres ou plus

Les mots courts importants

Voici, en gras, les 75 mots de deux lettres autorisés par les règlements du Scrabble et leurs rallonges. Les lettres situées à gauche peuvent les précéder et les lettres situées à droite, les suivre pour former des mots de trois lettres. Par exemple, en faisant précéder d'un B le mot AI, on obtient BAI, en le faisant précéder d'un G, on obtient GAI, et ainsi de suite. En faisant suivre le même mot d'un E, on obtient AIE, en le faisant suivre d'un L, on obtient AIL, etc.

	AA	S	A	**ME**	C L O R S T
B	**AH**		A	**MI**	E L N R S T X
B G H L M R S	**AI**	E L R S T	E	**MU**	A E R S T
B D F G H J K M P T V	**AN**	A E S	A	**NA**	Y
A B C J K L M P R S T V	**AS**	A E	A U	**NE**	E F M O S T Y Z
B E T V	**AU**	X	U	**NI**	A B D E F T
G N R	**AY**	S		**NO**	M N S
O	**BI**	C O P S T		**NU**	A E I L S
	BU	E G N S T	D F R S T	**OC**	
	CA	B F L P R S		**OH**	E M
A	**CE**	P S T	B C D E G I M N S T W	**ON**	C T
I	**CI**	F L S	C F	**OR**	E S
A	**DA**	B L M N O W	D G L M N R V	**OS**	A E T
I O	**DE**	B R S Y	C F H M P S Z	**OU**	D F H I T
A	**DO**	C L M N S T	A E S	**PI**	C E F N S U
	DU	C E O R S T		**PU**	A B E R S T Y
	EH		A I	**RA**	B C D I M P S T Y Z
B S Y Z	**EN**		A C E G I O P U	**RE**	A E G M Z
C D L M N S T V	**ES**	T	C T	**RI**	A E F O S T Z
C J L M N P S T V	**ET**	A E	B C D	**RU**	A E S T Z
F H J L P	**EU**	E H S T X	A O U	**SA**	C I L R S X
T	**EX**		A O U	**SE**	C L N P S T
	FA	C F N R T X	K P	**SI**	C L R S X
	FI	A C E L N S T		**SU**	A C D E R S T
E	**GO**	I N S Y	E O	**TA**	C F G N O R S T U
	HA	I N	E O U	**TE**	C E K L P R S T X
O R T	**HE**	M P U		**TU**	A B E F S T
K P	**HI**	A C E P T	B F H	**UN**	E I S
R	**HO**	P T U	B D E F G J L M N P R S T V W	**US**	A E
C K N P R T V	**IF**	S	B C D E F L M O P R S T Z	**UT**	E
A C F K M O S V	**IL**	E S		**VA**	L N R S U
D F G L M P T V Y	**IN**		A I O	**VE**	R S T
	JE	T U		**VS**	
O S	**KA**	N S		**VU**	E S
F O	**LA**	C D I O S		**WU**	S
A B C I O	**LE**	I K M S T U V Z		**XI**	
P	**LI**	A E N S T			
A E G P	**LU**	E I S T X			
	MA	C I L N O S T X